マイナビ新書

教養として学んでおきたい現代哲学者10人

岡本裕一朗

マイナビ新書

はじめに

本書は、現代の哲学者10人の思想を紹介するための本です。

哲学といえば一般に、言葉が難しいという声をよく聞きます。そのなかでも、特に現代哲学はタイプがやや違っていて、現代詩や現代芸術と似ています。そのため、何の知識もなく読むと、一体何が問題になっているかさえわかりません。こうした状況を避け、現代哲学者たちの基本的な考えや見方を理解していただくために、本書を書きました。

そのため、本書では難解な概念をそのまま使うのではなく、できるだけ普通の日本語に翻訳して、誰でもが意味を理解できるようにしました。ですので、読んでいただくと、「あー、なるほど、そんなことが言いたいわけね」というように、ストンと腑に落ちるのではないかと思います。使われている言葉は難しくても、言いたいことは意外とシンプルなのです。ただし、理解しやすい言葉で説明しましたが、思想の中身を薄めたわけではなく、中心となる思考法は押さえていますので、「子どもでもわかる」とはいきません。その点は、あらかじめお断りしておきます。

それにしても、古典とされる哲学書はゴマンとあるのに、まだ評価も定まっていない現代の哲学者について、どうして時間をとって学ぶ必要があるのでしょうか。もしかしたら、数十年もたてば、何人かの哲学者は話題にすら上らないかもしれないのです。実際、学生時代には流行っていたのに、卒業して10年以上もたつとすっかり忘れられた出来事は少なくありません。同じことは、おそらく哲学者についても言えるのではないでしょうか。

現代の哲学者たちを「教養として学んでおく」根本的な理由は、彼らがこの時代特有の問題にアプローチし、それぞれの視点から描き出そうとしているからです。哲学のテーマは、一方ではギリシャ以来共通なものが続いていますが、他方では各時代に特有なものもあります。ですから、現代に特有な問題は、現代哲学にしか解明できないわけです。
しかも、現代に特有な問題は、哲学者だけが直面しているのではなく、同じ時代に生きる者として「私たち」にも課題が突きつけられているのです。そのため、現代の哲学者たちが提供する「思考のメガネ」を参考にしながら、私たちは自分なりの現代理解を形成できるのです。

歴史的に考えますと、現代は、15〜16世紀以来続いてきた「近代」が終わり、新たな時代へ転換する時期だと見なされています。例えば、20世紀後半に始まったバイオテクノロジーや情報テクノロジーの革命的な変化によって、近代では自明視されてきた「人間」が揺らぎはじめ、「ヒューマニズム」が問い直されるようになりました。こうした状況で、「人間の終焉」を唱えたり、ポスト・ヒューマニズムを議論したりする哲学者たちも出てきました。とすれば、今後、私たちはどこへ向かうのでしょうか？

今日の状況をどう理解するにしても、現代人には新たな発想法や考えがいたるところで求められています。このとき、現代哲学は、とても有効な道具箱になってくれるはずです。一見したところ、非常識な思考実験や空想的な想定が示されたりしますが、今までとは違う現実を捉えるために、あみ出されたものだとお考えください。「へー、そんな考えもあるのか!?」という程度で、楽しみながら読んでいただければ幸いです。

本書で取り上げた現代哲学者は10人ですが、もちろん他にも取り上げるべき哲学者は少なくありません。ただ、紙数の制限もあり、本書の性格から考えて、メディアでよく取り上げられる現代の哲学者という観点から、限定することにしました。存命中だけでなく、すでに亡くなった哲学者も論じましたが、思想としてはいまだにアクチュアリティ（現実性）をもっています。

本書の各章は、それぞれ独立していますから、どの章から読んでいただいても結構です。もちろん同時代の哲学者ですから、哲学者同士の対立や参照関係はありますが、まずは興味のある哲学者から読んでいただくことをおススメします。全体を読み終えると、それぞれの哲学者が現代哲学のなかでどのような位置を占めるか、わかると思います。

最後になりますが、現代の哲学者を理解するのに、過去の哲学史について知っておきたいとお考えのときは、同じマイナビ新書シリーズで「哲学」もありますので、参照いただけたら幸いです。もう一つの「ニーチェ」と合わせて、同じ構想の下で解説していますので、ご紹介させていただきます。

本書で解説する10人の哲学者

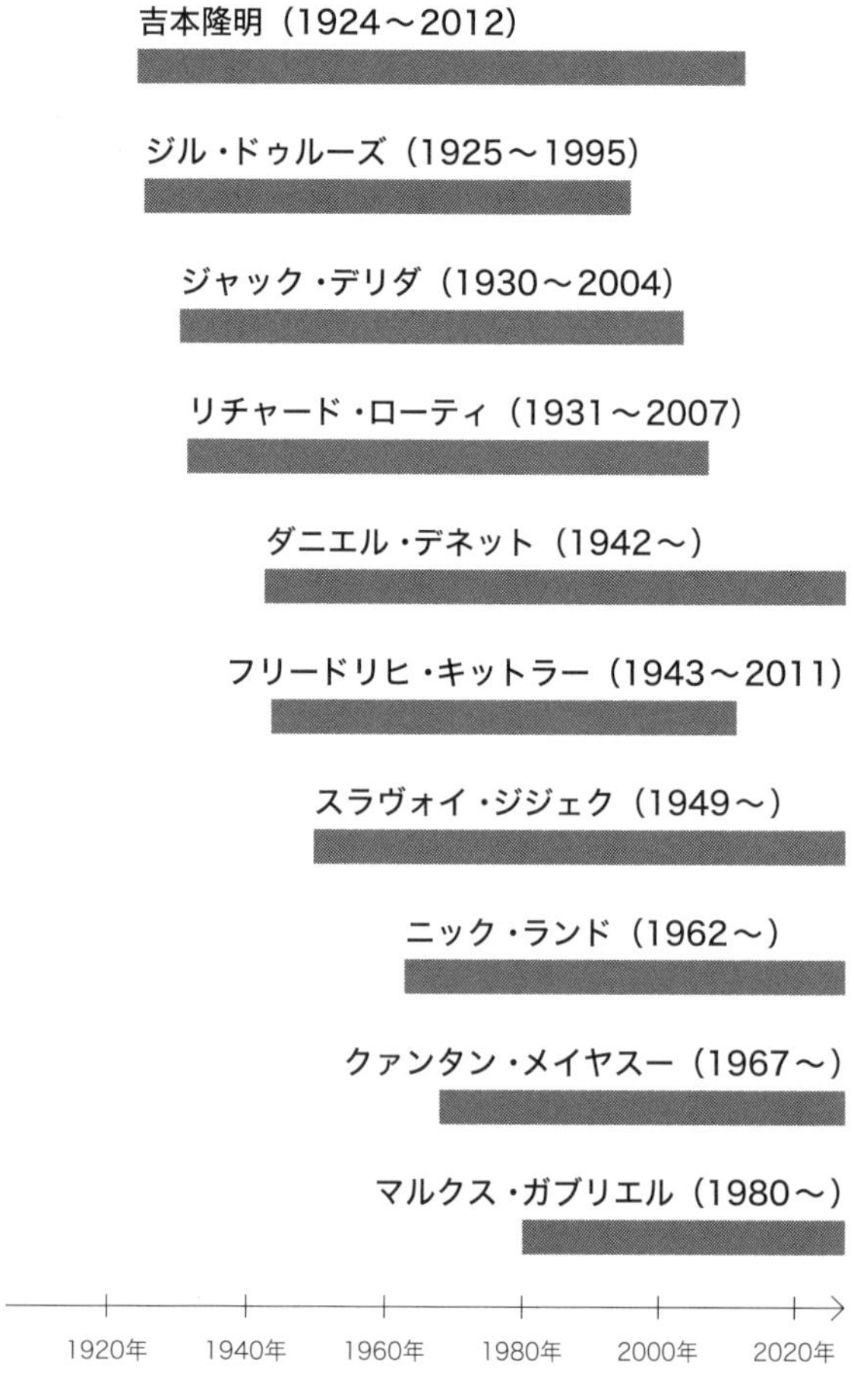
吉本隆明（1924～2012）
ジル・ドゥルーズ（1925～1995）
ジャック・デリダ（1930～2004）
リチャード・ローティ（1931～2007）
ダニエル・デネット（1942～）
フリードリヒ・キットラー（1943～2011）
スラヴォイ・ジジェク（1949～）
ニック・ランド（1962～）
クァンタン・メイヤスー（1967～）
マルクス・ガブリエル（1980～）
1920年
1940年
1960年
1980年
2000年
2020年

教養として学んでおきたい現代哲学者10人

目次

序章　哲学者とは何か？

第1章　マルクス・ガブリエル

第2章 ジャック・デリダ

第3章　ニック・ランド

第4章　フリードリヒ・キットラー

第5章　リチャード・ローティ

第6章　ジル・ドゥルーズ

終章　今後の哲学

序章　哲学者とは何か？

現代の哲学者10人を紹介するにあたり、まず考えなければならないのは、哲学者の定義の問題です。実際、明確な定義や規定があるわけではないので、人それぞれの哲学者のイメージに基づいて、哲学者かどうかが評価されることになります。

今取り上げるべき哲学者とは

今回、取り上げるべき哲学者という意味での私なりの理解は、まずその人が生きている、あるいは想定している時代を、非常に明確な形で、あるいは本質的な形で把握できているかどうか。つまり、自分が生きている時代をどう理解しているかという意味での時代認識があることが一つ。そしてもう一つは、その時代において、非常にユニークな、これまでとは違うような発想法やコンセプトを打ち出せているかどうかです。

要するに、現代という時代を基本的かつ本質的な形で理解し、捉えているかどうか。そして、どのような物の見方、考え方、発想法が打ち出せているか。この二つができている人を基本的に哲学者として理解したいと考えています。

その際、いわゆる職業的な哲学者だけに限定する必要もないと思っています。一般的に、あまり哲学者として取り扱われていない人であったとしても、時代そのものの認識や新しい発想法などによって、哲学者として理解しても問題のない人は少なくありませんし、今回取り上げなかったとしても、そのあたりは柔軟に考え、哲学者の枠をできるだけ幅広い形で理解しておきたいと考えています。

そして、現代の哲学者という枠組みにおける〝現代〟は、16世紀以降に始まった近代、あるいは西洋近代が大きな転換点を迎えたという意味での現代で、特に20世紀後半は大きな転換点を迎えていますから、この転換点を捉えたという形で、現代の哲学者を取り上げていきたいと思います。

例えば、**吉本隆明**（第10章）であれば、西洋ではない日本における、西洋とは異なる私たちの理解の仕方を明確な形で打ち出そうとした人物であり、それは同時に、日本的な〝国家〟のあり方を明確にしようと試みたという点で、十分、現代の哲学者として言及に値すると考えます。また、**ジャック・デリダ**（第2章）であれば、プラトン以来の形而上学※1のように、これまでずっと続いてきた考え方の枠組みを根本的に変えようとした点が挙げられます。デリダの〝脱構築（55ページ参照）〟という発想は、近代的な発想とは袂《たもと》を分かつという意味でも、現代的な哲学として検討できると思います。

また、**リチャード・ローティ**（第5章）は、おそらく〝言語論的転回（109ページ参照）〟という形で、近代的な意識の哲学とは異なり、20世紀の人々の発想が言語に基づくという形で、大きな時代の流れを明確化しようとしましたし、**ダニエル・デネット**（第7章）は、AI（人工知能）や進化論などの新しい学問に基づきながら、人間理解、あるいは人間だけではなく生物界、人工知能も含めて、そうしたものをいかに具体的に理解するかという、私たちの従来の枠組みを根本的に変えてしまうものを想定していますし、**フリードリヒ・キットラー**（第4章）であれば、これまで言語という形で考えられてきた私たちの思考や考え方を、メディアという形で考え直そうとしたのです。

スラヴォイ・ジジェク（第9章）の場合は、共産主義、コミュニズムという形で近代社会そのものを超えようとする一方で、ポストモダン※2という形で、近代の後のように考えられていた西洋の文化状況を超えるために共産主義を導入しようという発想でした。その意味では、現代が、いかに西洋的な近代を超えるかという非常に重要な感覚を持っているのです。そして**ニック・ランド**（第3章）は、加速主義（79ページ参照）がそもそも、民主主義や近代を突き抜けていこうという発想ですから、その意味で、彼の〝暗黒の啓蒙〟自体が、啓蒙という概念そのもの、近代、あるいは近代の民主主義を超えるという発想を持っていました。

そして、**クァンタン・メイヤスー**（第8章）や**マルクス・ガブリエル**（第1章）は、まさに21世紀の哲学ということで、今までのような人間主義、人間との関係性に基づくような私たちの考え方、ローティであれば〝言語論的転回〟と呼んだものを超えていこうと試みます。

その意味で、これらの人々は、近代的な思考とは違った方向性に向かい、新しい物の見方を提示しようとしているわけです。もちろんそれぞれが提示する物は異なっていても、基本的に彼らが見据えていたのは、16世紀以来ずっと続いてきた近代社会、あるいは近代社会における私たちの考え方、行動様式からの変化なのです。

20世紀のテクノロジー革命とパラダイムシフト

現代を考える上で、もっとも注目しておきたいのは、20世紀におけるテクノロジーの重要性です。特にメディアテクノロジーとでもいうべきインターネットやデジタルテクノロジーなどの、現在も進行しているテクノロジー革命によって、

15世紀の活版印刷におけるグーテンベルク革命の時代から決定的に変わり始めています。そして、それを解明しようとしたのがキットラーのメディア論であり、さらにいうと、そのメディア論の重要性は、例えばローティの言語論的転回を前提にすると、言語論的転回からメディア論的転回へと変化していると考えられるのです。

そして、20世紀後半からの様々な科学論の進展と、これに基づいて哲学を新たに組み替えようという動きも着目すべきポイントです。認知論や進化論など、進展する科学に基づいて哲学を形成し、科学の新しい可能性を無視しないという哲学形成がデネットによる新たな試みですし、デジタルテクノロジーの進展によって重要性を増した、人々をいかにコントロールするかという問題を明確にし、それがどのような社会を生み出すかについて原理的に考えたのが**ジル・ドゥルーズ**（第6章）であり、その〝管理社会論〟の考察は、デジタルテクノロジーを考える上でも、非常に注目すべき内容を含んでいると思います。

今回取り上げた10人を、哲学者としてカテゴライズすることに対する異論、反論は当然あると思いますが、とにかく今回は、時代そのものの捉え方と、彼らが打ち出した発想法、この二つの視点をベースに選考を行いました。

現代というのは、おそらく20世紀後半以降の、近代からそれに続く時代へいかに変化、移行していくかという、まさに〝移行期〟にあると思います。その移行期を彼らがいかに認識し、いかに新しい発想法を提唱しようとしたのか、そういった観点で、彼らの生き様を哲学者として取り上げてみたいと思います。

※1 形而上学
アリストテレスが「第一哲学」と呼んだ学問で、感覚や経験を超えた世界（形而上）における普遍的な原理や事象を理性的に考察する。目で見える存在そのものではなく、存在根拠を理性的思惟《しい》によって探究する。

※2 ポストモダン
近代からの脱却を目指して、20世紀の中盤から後半にかけて幅広い分野で流行した思想。ポストモダンが流行する中、実存主義は構造主義、ポスト構造主義へと姿を変えていった。哲学としてのポストモダンはフランスのリオタールが提唱。

第1章

マルクス・ガブリエル

1980年生まれ。ドイツの哲学者。「新実在論」を提唱して世界的に注目される。著書『なぜ世界は存在しないのか』(講談社選書メチエ) は世界中でベストセラーとなった。

マルクス・ガブリエルは１９８０年生まれの非常に若い哲学者であり、彼を最初に有名にしたのもこの若さでした。ドイツの観念論、特にシェリングが専門で、ボン大学の教授になったのは30歳になる前のこと。

近年では稀にみる経歴ということに加えて、２０１３年に出版した一般向けの哲学書『なぜ世界は存在しないのか』がベストセラーになったことで大きな話題となり、日本にもチラホラと情報が流れてくるようになりました。

21世紀の若き天才哲学者

彼が注目されたのは、ただ若いだけではなく、非常に多才であることが大きな理由になっています。まず、10カ国以上の言語を操ることができ、講演に呼ばれると、その地域の言葉で講演ができたりするのです。

さらに、哲学に関する造詣が非常に深く、ドイツ観念論と言えば18世紀末から

19世紀の初めくらいの哲学なのですが、彼はそれ以降の哲学者、ドイツに限らずフランスや分析系と呼ばれる英米の哲学者など、自分の専門以外の現代的なものはもちろん、ギリシャ時代から始まる歴史などの知識も豊富なのです。

そして、哲学だけではなく、芸術や道徳、宗教、さらには物理学に至るまで、非常に幅広い知識を持ち、それらについて語ることができるなど、その異常なる多才さゆえに、若き天才という名をほしいままにしたのです。

さらに日本では、最初にテレビで紹介されたときに、スケートボードに乗って登場。研究ばかりで人付き合いができないという、いわゆる哲学者のイメージとかけ離れた印象から、〝哲学界のロックスター〟などと紹介され、一躍有名になるなど、メディアによる影響も非常に大きかったと思います。

21世紀になり、〝哲学者不在〟の時代が訪れたことも、彼を有名にした理由の一つになっています。大御所ともいえるデリダをはじめとする、有名・著名な哲学者たちがバタバタと倒れていき、時代を代表する哲学者が誰もいないというような状況になったのです。そこに彗星のごとく登場した若き哲学者に注目が集まるのは、それほどおかしなことではありません。20世紀末に流行したポスト構造主義※1やポストモダンがどうなったのか？　21世紀はどのような哲学が生まれるのか？　そうした疑問や空白を埋める形で登場したのがマルクス・ガブリエルであり、フランスのメイヤスーなのです。

彼らは、正統的ではないものの、非常に優秀であり、何より天才的な雰囲気をまとっていることで、一躍有名になりました。その意味では、20世紀の哲学が終わり、今後の哲学がどのようになるのかを語れる人がいない状況、このタイミングで現れたということが、大きな追い風になったと言えるかもしれません。

ポストモダンを批判するスタンス

マルクス・ガブリエルは、20世紀末のポスト構造主義やポストモダンに対して、非常に強い批判を持っていました。それらは、ある意味、反実在論であり、言語によって世界が理解できるという感覚、言語というひとつの意識や概念という枠組みによって世界が作り出されるという考え方、彼はそれを構築主義と呼ぶのですが、そういった構築主義はそろそろ終わりにしようという雰囲気がずっとあったのです。

例えば、20世紀末の構築主義における最たるものが〝文化相対主義〟です。これは、文化が違えば理解が違うという考え方なのですが、そうなると、何が正しいのかを決める方法がわからなくなるのです。文化の違い、概念の違い、物の見方の違いがあったとき、相対主義の下では、何が正しいかを決定することができません。それで良いのかという考え方が出てくるのは当然で、国際関係や文化間の対立があったときに、ポストモダンのような相対主義ではまったく解決にならないのです。そして、それを批判するというスタンスで登場したのが、マルクス・ガブリエルなのです。

彼は、ポストモダンのような、概念や言語に基づいて世界を理解する、つまり、広い意味での観念に基づいて世界を理解するという、いわゆる〝観念論〟に対して、反観念論という形での実在論、〝新実在論〟というスタイルを打ち出しました。

彼の登場は、20世紀哲学に対するひとつのアンチテーゼであり、20世紀哲学の巨匠たちが没した後の世界、すなわち21世紀の哲学に対する期待と捉えられました。若くて優秀な哲学者が、20世紀哲学とはまったく異なる新しい哲学の方向性を打ち出すことで、人気を獲得していったのです。

彼は非常に多才なので、哲学に限らず、おそらくどんな学問分野の講演を頼んでも、問題なくこなしますし、学問だけでなくビジネスの分野でも対応できてしまう。最近では、会社の顧問に就任するなど、世俗に染まらない、浮世離れしたような従来の哲学者とはまったく異なる活動でも注目を集めています。

哲学者が難しい人というのは万国共通ですし、役に立たないことをするというのも万国共通です。ニーチェ※2のような破綻者こそがまさに哲学者のイメージなのですが、マルクス・ガブリエルはまったく逆で、メディアに出ることも厭わず、さらにメディア受けのする応対もできます。ハイデガー※3などは、社会から距離を取り、〝なぜ私たちは田舎にとどまるのか?〟みたいな考え方をするのですが、マルクス・ガブリエルはまったく逆で、あたかも有能なビジネスマンのように世界中を飛び回っているのです。

なぜ世界は存在しないのか

彼がドイツにおいて一躍注目されるようになったのは、『なぜ世界は存在しないのか』という非常に奇妙なタイトルの本を出版してからのことです。これは日本でも翻訳されて、ベストセラーになりましたが、この本の中で彼は、20世紀のポストモダンやポスト構造主義に対する批判として、新しい実在論、すなわち

〝新実在論〟を打ち出しました。

この新実在論を命題化したのが『なぜ世界は存在しないのか』というタイトルなのですが、この本が売れたのは、この奇妙なタイトルのおかげと言ってよいかもしれません。普通の感覚の持ち主なら〝世界は存在しない〟という文言を素直には受け入れることができず、はたしてこのタイトルが何を意味しているのかが非常に興味深いからです。

彼の哲学の中心となるこの本の一番大きなポイントは、この〝世界〟をどのように定義するかにあります。そして、世界の定義というのは、哲学者によって異なるのですが、彼自身の考えでは、世界は宇宙よりもずっと大きい、極限的な概念なのです。大雑把な言い方をすると、世界は最大概念だから、それよりも大きいものは存在せず、それこそが世界であるという考え方です。

我々がもし、世界と宇宙のどちらが大きいかと聞かれたら、迷わず宇宙のほうが大きいと答えるのではないでしょうか。しかし、それを彼は否定します。彼の発想では、宇宙はあくまでも世界の一部でしかなく、一番大きい概念が世界だからです。

　世界は極限概念であり、それよりも大きなものがないようなものが世界である。こういった定義が彼の中にあるのです。これを認めるか否かによって、この世界が存在するかどうかの意味も変わってくるのですが、とにかく、世界は宇宙よりも大きく、極限的な最大概念であるということが第一義となります。そして、〝存在する〟とか〝存在しない〟というときに、彼は〝意味〟という概念を非常に強く主張します。つまり、どのような意味の場に存在するのかということで、これを彼は〝意味領域〟と呼びます。

　例えば、「ユニコーンは存在するか？」という問いに対して、「存在する」と「存在しない」の二つの答えが考えられます。つまり、神話の中には「存在する」し、物理的な領域には「存在しない」わけです。つまり、存在するかしないかを語る場合、必ずどういう領域の話なのか、つまり〝意味領域〟という限定を加える必要があるというわけです。「Xが存在する」というのは、彼の表現を使うと、「XはYという意味領域において存在する」ということになります。

そうなると、例えば〝空想の中に存在する〟とか〝夢の中で存在する〟と言ってしまえば、すべての物が存在すると言えるわけです。つまり、彼が言わんとしているのは、「すべては存在する」ということなのです。ユニコーンのような空想の産物も、進化などの抽象概念も、意味の場を設定することによって、必ず存在することになるのです。しかし、その中でも〝世界は存在しない〟と彼は主張します。

一見、矛盾しているようにも感じますが、彼にとって存在すると言えるものは、「XはYという意味領域において存在する」という文法に則っている場合のみです。つまり、Xに世界を入れて、「世界はYという意味領域において存在する」とした場合、Yの方が世界よりも大きくなってしまいます。ところが、もともとの定義として、世界は最大概念なのですから、それを含むようなYを想定することは不可能なのです。世界は基本的にそれを超えるものが存在しないのだから、Yという意味領域を用意することも不可能です。だから〝世界は存在しない〟のであり、世界の中にすべての意味領域があると考えるのです。

これが、『なぜ世界は存在しないのか』というタイトルが言わんとしていることですが、ここから導き出されることが二つあって、一つは「世界は存在しない」ということ、そしてもう一つは「世界以外のものはすべて存在する。ただし、意味領域が違うだけ」ということです。ここまで聞けば、言っていることは何となくわかるのですが、依然として、それが何を含意しているのかはまったく理解できません。はたしてこれが一体、何の役に立つのかということがわからないのです。

すべてが存在する〃新実在論〃

一般的に〃実在論〃と言うと、目の前に存在する物から私たちが何かを理解する場合、私たちの認識より以前に客観的な物が存在するというイメージです。それに対するマルクス・ガブリエルの考え方は、例えば富士山の場合、富士山そのものに加えて、静岡から見る富士山、山梨から見る富士山、あるいは東京から見る富士山といった感じで、様々な見え方があるわけです。そうなると、どの富士山が存在するのですかという問いに対して、静岡から見た富士山も存在するし、山梨からの富士山も、東京からの富士山も、さらに言えば、どの地点から見られたものでもない富士山も存在する、となるのです。

見えた物がそのまま存在するという〃素朴実在論〃という考え方が昔からあり、さらに20世紀には、静岡か山梨か、見られた地点によって異なる、ニーチェで言うところの〃パースペクティブ〃という考え方が生まれました。そして、どのパースペクティブから見た物が存在するかと言うときに、パースペクティブしかないというのがニーチェの考え方であり、20世紀の発想、つまり文化相対主義な考え方なのです。これに対して、マルクス・ガブリエルは、どのパースペクティブも存在するし、どの方向から見られたのでもない物も存在する、つまり、すべてが存在するという包括的な存在論を唱えたのです。

物理学的な世界も可能だし、芸術的な観点も可能。だからといって、空想的な観点がなくなるわけでもない。だからすべての物が存在し、存在しないのは唯一〝世界〟だけである。これが『なぜ世界は存在しないのか』の意味するところであり、主張なのですが、これがどのような意義を持っているかは、おそらく本を読んでも、あまりピンとは来ないのではないかと思います。おそらく、世界は存在しないが世界以外の物はすべて存在するということによって、彼が言いたかったのは、〝あらゆる観点の物が存在することを認める〟ということだと思います。

これはつまり、自然科学の考え方だけを存在するとするのはまずいという考え方でもあります。いろいろな観点が可能なのに、自然科学的な物だけが存在すると考える。これが、20世紀のもう一つの考え方である〝物理学主義〟や〝自然科学主義〟、哲学的には〝自然主義〟と呼ばれるもので、この考え方に基づくと、世界よりも宇宙が大きいという発想になります。実際、私たちは、自然科学的な物だけを信じ、それ以外の物は存在しないと考え、空想は空想と切り捨てがちです。

それに対してマルクス・ガブリエルは、空想は空想として存在するのであり、物理学的に存在しないから、どんな意味でも存在しないとは言えないと考えます。『なぜ世界は存在しないのか』において、彼が最も言いたいことは、存在するかどうかを、自然科学的な世界、観点だけに限定してはいけないということなのです。芸術的な観点もあれば、宗教的な観点もある。そのすべてを、空想だ、妄想だと言って退けるのではなく、全部認めてしまおうという発想なのです。

つまり、彼の〝新実在論〟は、すべてが存在することを認めるという考え方です。学問領域でも、物理学的なものは物理学的なものとして、芸術的なものは芸術的なものとして、宗教的なものは宗教的なものとして認めるべきであると考えるのです。

哲学者ではない、一般的な科学者は、宗教的なものは認めず、神様なんて存在しないと言いがちですが、それは間違いであるというのが彼の主張です。物理学的なものだけが存在するという特権性を持たせず、物理学的な世界は物理学的な世界においてのみ存在するという形で考えなくてはいけないというわけです。つまり、『なぜ世界は存在しないのか』と言うとき、彼は自然科学的な世界だけが存在するということを批判したかったのです。

保守的な新実在論

20世紀になり、自然科学主義が強くなると、例えば人間が物を理解することを、脳の働きであり、脳の変化として考えるようになりました。それに対して、自然科学的な説明とは関係なく、私たちの心のあり方や感情は、いくら脳を調べてもわからないというのが、彼の基本的な発想になっています。感情にしても、空想にしても、それは自然科学とは違う形で理解できる可能性があるのに、それを自然科学だけに限定するのは間違いであると考えます。そして、宇宙というのは世界の中の単なるひとつの見方に過ぎないのだから、宇宙こそが一番大きいと考える自然科学主義は間違いであると主張するのです。

脳の働きについて言えば、私たちが〝心〟というものを理解するとき、自然主義的には、脳の変化だと考えます。刺激に対して、神経組織を通して脳が変化することによって、様々なイメージや感情を持つわけです。しかし、これは心の働きを自然科学的に説明しているだけであって、心の働きを理解することにはならないというのが、マルクス・ガブリエルの考え方です。

心の働きを、自然科学や脳科学によって説明することを強く批判し、それとは逆に、自然科学によっては説明できないものとして、道徳性を非常に強調する傾向にあります。特に最近の主張は、何でも道徳的でなければならないというのがポイントで、例えば資本主義の問題についても、社会主義に変えるのではなく、むしろ資本主義を道徳化することで、道徳的な資本主義を作るといった方向に考えます。

脳科学によってどんなに脳が理解されても、心の中は理解できない。人間の優しさとか、人間のすばらしさとか、人間の自由は、脳科学によって解明することができないし、ロボットやAIが人間の代わりをすることもありえない。人間の自由や道徳心がAIによって置き換わることはないというのが、現時点での一般的な感覚であり、常識的な反応だとすると、彼の主張は人々に刺さりやすく、非常にわかりやすいのです。

その意味で言えば、彼は非常に若いのだけれど、主張的には非常に保守的なのです。新型コロナに関しても、ウイルスとしてのコロナではなく、人間関係や社会関係の問題に言及し、道徳性を取り戻さないといけないという主張を行っています。

世界のあり方は哲学でしか理解できない

ドイツ的な良心というのは、ナチスが優生学などで遺伝子操作や生命操作をしようとしたことへの批判から生まれたもので、ヨーロッパは、遺伝子操作に対して特に厳しい態度を取ります。これはハーバーマス※4などに見られる傾向ですが、マルクス・ガブリエルも例に漏れず、アンドロイドやロボットに対して非常に強い批判があり、アンドロイドやロボットを作ることが人間の自由や精神を否定するという感覚を強く持っていて、遺伝子操作やゲノム編集などによって人間の自由や精神に介入することを否定します。そのため、カントを批判するのにもかかわらず、カントが主張する人間の尊厳といった概念については受け入れたりもするのです。

マルクス・ガブリエルは、哲学界におけるドイツの地位向上を目指しているフシも見られます。かつてドイツの哲学は世界に冠たる立場にあり、特に19世紀の初め頃、ヘーゲル※5の時代は、日本でも哲学といえばドイツといったイメージがあったのですが、それが20世紀になって、だんだんと英米系の哲学が力を持つようになったのです。英語圏の哲学は科学主義で、科学と結びつくことによって、明確な形で進化し、特に20世紀の後半にかけて一時代を築きました。

それに対して、マルクス・ガブリエルは、哲学の地位は科学によって貶められたと考えており、だからこそ、今一度、ドイツの地位を取り戻そうと考えているのです。地盤沈下した哲学の地位を向上させるためには、科学よりも哲学の意義を主張する必要があり、そのためには、科学とまったくの別枠であれば相手にもされないので、科学をすべて理解した上で、哲学をその上に位置付けようと考えているのです。

ハイデガーは20世紀中頃の講演で、〝哲学の終わり〟みたいなことを言いました。なぜ終わるのかというと、哲学はかつて様々な分野を包括していたのに、その様々な分野がどんどん自立化していき、もはや哲学には何も残されていない。だから哲学は終わるんだという発想で、これはおそらく、20世紀の中頃の共通了解だったのではないかと思います。

それに対して、マルクス・ガブリエルは、科学はもちろん、すべての学問を包括した哲学を取り戻そうとしていますし、先程の話で言えば、世界がすべてを含んでいるのと同じように、哲学がすべての学問を含んでいるべきであると考えます。だからこそ、彼は哲学に限らず、SFだって映画だって何だって語るのです。自然科学の話もするし、物理学の話も、ホーキングの話も、宗教の話もします。そして、究極的に哲学はすべてを語ることができるという壮大なイメージを持っているのではないかと思います。

マルクス・ガブリエルが自然科学を批判するのは、自然科学だけが正しいわけではない、という考え方です。自然科学を否定するわけでなく、全体の一部として認めるという発想です。あくまでも一部なので、それが唯一正しいという考え方はまずいと考えるわけです。自然科学主義が蔓延すると、人間の心や精神、自由などが理解されなくなります。だからこそ、人間の道徳性や自由の精神を強調し、それによって、世界が哲学になり、世界のあり方は哲学でしか理解できないというのが、マルクス・ガブリエルの考え方なのです。

新進気鋭の保守的哲学者への期待

以前、あるセミナーで若い人から、マルクス・ガブリエルを読んだのだけど、あまり評価できないという話を聞いたことがあります。脳科学やＡＩの進歩は非常に重要であると考え、そこに積極的な意義や有効性を感じている若者は少なくないと思いますが、そういった若者ほど、おそらくマルクス・ガブリエルには共感じないのではないかと思います。実際のところ、マルクス・ガブリエルの話というのは、どこか昭和世代のおじさんが説教をしているような雰囲気があり、若い人にはなかなか刺さりにくいのです。

マルクス・ガブリエルの根底には、人間主義やヒューマニズム、道徳主義といったものを守っていこうという発想があり、その意味では非常に保守的な人です。だから資本主義についても、生産性を高めるためにロボットを導入して、人間は働かずに楽をしようみたいな発想は持たず、仕事の中で人間関係をいかに道徳的な形で豊かなものにするか、みたいなことを語るのです。

もちろん、そういう発想が嫌いじゃない人もたくさんいるとは思いますが、これからバリバリ働いていこうという若者にとっては、何だか面倒くさく、辛気臭い話をする人だというイメージを持たれがちで、先程のように「新進気鋭の哲学者だと聞いて本を読んだのに、あまり良く思えなかった。先生はどう思われますか？」と質問されることが珍しくないのです。そうしたときに私は「あまり面白くないと思いますよ」と答えることにしています。

とはいえ、マルクス・ガブリエルの登場には非常に大きな意義があります。20世紀における哲学の行き詰まりを明確に意識し、それに対抗する形で出てきたのが彼なのです。しかし、実際に彼が打ち出すものが、はたして21世紀的かどうかは、あらためて評価する必要があると思います。〝ロックスター〟という割には非常に保守的であり、すべてを理解する人ではありますが、新しいものを打ち出す人ではないのかもしれません。

ただ、非常にバランスが取れた人であり、哲学の現状を的確に整理してくれる人ではありますので、現在はまだ新たな哲学が生まれる土壌を作っている段階なのかもしれませんし、今後どのような独自の見解を打ち出してくるのかが非常に楽しみで、それが21世紀の哲学の大きな方向付けになるのかもしれないと期待させる哲学者であることは間違いないと思います。

※1　ポスト構造主義
社会や文化を「構造」として捉えることで現象を理解しようとした「構造主義」を批判的に継承した哲学における潮流。代表的な哲学者としてミシェル・フーコー、ジャック・デリダ、ジル・ドゥルーズらが挙げられる。

※2　ニーチェ
フリードリヒ・ヴィルヘルム・ニーチェ（1844〜1900年）。ドイツの哲学者で、ニヒリズムの到来を予言。「永遠回帰」「力への意志」などの思想を残した。主著は「神が死んだ」で知られる『ツァラトゥストラはかく語りき』。

※3　ハイデガー
マルティン・ハイデガー（1889〜1976年）。ドイツの哲学者。人間のあり方を「実存」と捉え、そこから存在論を展開した。主著『存在と時間』は、20世紀の哲学思想に大きな影響を与えた。

※4　ハーバーマス
ユルゲン・ハーバーマス（1929年〜）。ドイツの哲学者。公共性論やコミュニケーション論の第一人者。

※5 ヘーゲル

ゲオルク・ヴィルヘルム・フリードリヒ・ヘーゲル（1770〜1831年）。ドイツ観念論を代表する哲学者。論理学、自然哲学、精神哲学からなる哲学体系を構築した。弁証法を定式化したと一般的には考えられている。

第2章

ジャック・デリダ

1930年アルジェ生まれ。フランスの哲学者。「脱構築」を提唱した。2004年膵臓ガンで死去。

戦後のフランスにおいて、サルトル※1の実存主義※2、レヴィ・ストロース※3の構造主義※4に続いて登場したのは、20世紀の後半を代表する哲学者と言われるデリダです。デリダは、フランスの植民地時代のアルジェリア出身でユダヤ系という特徴的な経歴を持っており、この少し複雑な経歴が、彼自身の言語論にもつながっています。

レヴィ・ストロース批判で名を上げたデリダ

彼はフランス語を使うのですが、フランス本国の人が使うフランス語とは少し違うもので、さらにユダヤ系という背景もありました。当時のアルジェリアには、以前からアルジェリアに住んでいたベルベル人やアラブ系の人々、フランスから植民してきた人々、そしてユダヤ系という民族的な対立が歴史的にあり、その中で、ユダヤ系でありながらフランス語を使うデリダは、ある意味で、非常に居心地が悪いわけです。彼の著書『たった一つの、私のものではない言葉』は、植民地にいる人々が、自分たちの言語ではない言葉を使うという複雑な状況にあったことを意味しているのです。

デリダは、アルジェリアの地に生まれながら、親の選択したフランス語を学んだのですが、当時は植民地なので、フランス語を学ぶほうが子供の教育に有利だったのはある意味当然のことです。しかし、デリダにとっては、現地の言葉でもなく、ユダヤ系という民族的な伝統とも異なる、フランス語を使わなければならないという複雑な状況によって、常に自分自身のアイデンティティと一体化できないというスタイルが生み出されていくことになったのです。

このスタイルは、後々まで影響していて、彼の唱えた〝ディコンストラクション〟、いわゆる〝脱構築〟と呼ばれるものは、自分自身と一体化することが基本的に不可能であるという感覚が大前提になっているのではないかと思います。

フランスで構造主義が大流行していた時代に、アメリカでシンポジウムが開催され、フランスの哲学者が数多く招かれたのですが、その中に、当時はまだまだ無名だったデリダも参加していました。そして、そのシンポジウムにおいて、まったく無名だったデリダが、すでに大御所の地位にあったレヴィ・ストロースをコテンパンに批判したのです。

レヴィ・ストロース批判なんて当時はまだ誰もやっていないのに、本当に無名の若者がいきなり批判をぶちまけた。これによって一気にデリダの知名度が急上昇したのです。フーコー※5やドゥルーズよりも若いデリダですが、一番最初にアメリカで有名になったのはデリダだったのです。

そのシンポジウムが開催されたのは1966年で、当時のフランスは構造主義が全盛期を迎えていたのですが、その翌年にデリダの著名な三部作が一挙に出版され、その中でもレヴィ・ストロースを批判することによって、フランス本国でも名前を上げ、フランスにおける構造主義からポスト構造主義への転換のきっかけとなったのです。

しかし、アメリカにおいては、構造主義が紹介されたのもこのシンポジウムなので、その意味では、構造主義とポスト構造主義が、同じタイミングで導入されることになったのです。ちなみに、1960年代の日本はサルトルの実存主義が全盛で、アメリカと同じように、レヴィ・ストロースもラカンもフーコーもデリダも、つまりは構造主義とポスト構造主義がほとんど同じ時期に紹介されることになりました。その結果、レヴィ・ストロースよりもデリダやフーコーが先に有名になってしまい、構造主義とポスト構造主義がいずれも言語を問題にするということもあって、何が批判されて、何が新しいのかが不明瞭のまま、その違いが理解されない時期が長く続くことになったのです。

デリダは〝脱構築〟をあらためて定義した

さて、デリダを有名にした〝脱構築〟、つまり〝ディコンストラクション〟は、コンストラクションとデストラクションという二つの言葉を組み合わせて作られたものですが、デリダが作った言葉ではありません。その起源は、ハイデガーの『存在と時間』という本の中にあるDestruktion（デストルクチオン）、英語で言えばデストラクションに当たる、〝解体する〟という意味の言葉になります。

Destruktionには、〝解体〟と〝破壊〟という二つの意味があるのですが、ハイデガーの日本語翻訳にも「解体」と「破壊」の2種類があります。私としては、ハイデガーはそこに〝解体〟という意味を持たせていたと考えています。つまり、一気に爆破して無にしてしまう（破壊）のではなく、ひとつひとつの部品を取り出し、つまり〝解体〟し、それが一体どのように出来上がったのかを調べていくという発想です。ハイデガーは、私たちの目が曇らされてしまうのは一体どうしてかということを考えるために、どのように誤解して、どのように目を曇らされてきたのかを歴史的に確認しながら、その大本を探ろうとしたのです。

これはある意味、ニーチェでいうところの「系譜学※6」にあたる言葉ですが、ハイデガーも同じように考えていて、系譜を辿ることによって、どこから誤解が生じ、どこからそれを隠蔽したのかを明らかにしようとしたのです。そして、ハイデガーはそれを〝デストルクチオン〟、〝解体〟と呼び、そのフランス語訳をデリダは引用したのです。

つまり、私たちにとってはすでに常識となっているものを、歴史的な形で遡っていくことによって、どこで間違えたのかを明確にしながら、根源へと導いていく。これをデリダは、〝ディコンストラクション〟とあらためて定義付けしたのです。そしてこれを日本語では〝脱構築〟と呼ぶわけですが、一度解体してから構築し直すという意味なので、「解体構築」と呼んだほうがわかりやすいかもしれません。

いずれにせよ、私たちが持っている概念が、隠蔽され、曇らされてしまっている。その隠蔽されて曇らされたものはどこから出てきたのか。その歴史的な起源を遡ることで明らかにしようというのが〝脱構築〟です。解体して、ひとつひとつ取り出していくことによって、現在の私たちが考えている誤解がどうやって生じたのかを構築していく。だから〝破壊〟では都合が悪いのです。

私たちの考えには様々な階層構造があり、一方が上位を占め、もう一方が下位となる構造になっています。例えば、男性と女性、都市と田舎、真理と虚偽、オリジナルとコピーといったものであり、コピーはオリジナルよりレベルが低いといった形での二項対立が生まれます。この二項が、並立ではなく、上下で対立している。これを解体するというのがデリダの一番簡単なモデルになります。

デリダが〝脱構築〟するとき、相手の主張を基本的に否定しません。まずは相手の主張をすべて言わせておいて、最後に「でもね」という形で逆転させるのです。レヴィ・ストロースを批判した方法も基本的にはこのパターンでした。

レヴィ・ストロースの西洋中心主義批判の矛盾を指摘

レヴィ・ストロースは、サルトルに対して、「西洋文明の考え方を中心にして、未開の社会の人々の考え方を劣っていると考えている」といって批判しています。つまり、レヴィ・ストロースの文化人類学の基本的な立場は、西洋中心主義批判であり、この批判が、サルトルの実存主義に終わりを告げたのです。

そんなレヴィ・ストロースをデリダは批判したのですが、その際、レヴィ・ストロースの西洋中心主義批判を正面から批判したのではありません。西洋中心主義を批判するレヴィ・ストロース自身も、結局は西洋中心主義なのではないかといって批判したのです。相手の主張を最後になって崩すというのはこのパターンで、あなたはサルトルを批判するときに西洋中心主義という形で批判していますが、それは正しいと私も認めますが、結局のところ、あなた自身が西洋中心主義の権化ではないのですか？　という言い方で批判するのです。

ここで注意しておきたいのは、デリダは、レヴィ・ストロースの言葉尻を捕らえたり、揚げ足を取って批判しているわけではないということです。レヴィ・ストロースの場合、未開人の会話を取り出して、そこにすばらしい精神能力を見出します。そして、未開人が直接語っていることを重視して、そこに精神の無垢さや正しさみたいなものを見出すわけですが、この語ることに対する非常に強い信頼は、実は音声中心主義に過ぎないというのがデリダの批判なのです。

音声と文字を考えたとき、ギリシャ以来、西洋では表音文字を使っており、少なくとも音声を基本にして文字が作られています。つまり、西洋の基本的な発想は、あくまでも音声が基本で、文字は二次的なものなのです。その意味で、西洋中心主義というのは、音声中心主義だというのがデリダの主張です。そして、これをロゴス中心主義と呼ぶのですが、ロゴスというのは〝語る〟ということで、私たちが文字よりも語ることに強い信頼感を持っているのは、ギリシャ以来の伝統であり、これを彼は〝プラトン以来のロゴス中心主義〟と呼びます。

つまり、西洋中心主義の基本にあるのは、音声に対する非常に強い信頼であり、つまり音声中心主義であるから、その意味で、レヴィ・ストロースの未開人に対する信頼も音声中心主義であり、西洋中心主義を否定しているように見せながら、自分自身が西洋中心主義を実践してしまっていると批判したのです。

フーコーに対しても脱構築で批判

デリダは、フーコーに対しても同じパターンで批判します。フーコーは、レヴィ・ストロースの構造主義が流行した当時、自身の考える狂気の歴史、狂気論を同じ構造主義として展開しており、西洋近代は理性によって狂気がはじき出されたと考えました。

それに対して、デリダは、レヴィ・ストロースに「あなたこそが西洋中心主義だ」と批判したのと同じように、フーコーに対しても、狂気を排除したのは理性ではなく、あなたこそが排除しているのではないですかといって批判したのです。結局、デリダが相手の主張を批判する際は、相手と別の立場で批判するのではなく、相手の立場を認めておきながら、あなたこそがその当事者であるといって、すべてを崩してしまうのです。

これが〝脱構築〟におけるひとつの手法で、相手の戦略を認めておきながら、最後にそのすべてを乗っ取ってしまうのです。相手の主張をすべて認めているからこそ、相手はそこから逃げられなくなるのがポイントで、だからこそ彼は、相手の主張や文献を事前に徹底的に精査するのです。

相手の論理を直接批判するのではなく、相手の論理に一度乗っかり、そして展開させておきながら、最後に相手の論理そのものを崩していくデリダのスタイルは、〝脱構築〟のひとつのやり方で、つまりは二項対立の解体を行っているわけです。実はレヴィ・ストロースも同様で、彼の西洋中心主義批判は、西洋的な文明と未開人の文明を逆転させようとしたものだったのですが、逆転させようとしたこと自体が西洋中心主義の論理であるという風にデリダに批判されてしまいました。

ここで問題となるのは、最終的に何が出てくるかということなのですが、デリダのやり方は、ある意味、ソクラテス的なやり方とも言えます。ソクラテスの場合、相手にさんざん喋らせて、相手を潰した後、初期の対話編では、「結局、最初にやったのは間違ってましたね」で終わらせてしまうため、そこには何も残りません。ソクラテスは、相手を潰すこと自体が哲学の実践だと考えていたので、それ以上は何も出てこないのです。

一方、プラトンは、そこにイデアなどの概念を積極的に加えて、理論を構築しようとしたわけですが、デリダの場合はソクラテスと同じで、相手の論を突き崩したところで終わってしまうのです。

〝脱構築〟の基本は、二項対立の上下を逆転させることですが、レヴィ・ストロースのようにただ逆転させても、ほとんどの場合は上手くいきません。単純な逆転では意味がないにもかかわらず、逆転させないといけないわけで、結局のところ、どうやって逆転させるのかというのが脱構築の一番のポイントであり、単純に逆転させただけでは、問題は解決しないのです。

「パロール」「エクリチュール」「アルシ・エクリチュール」

ここでは、あらためてデリダの〝脱構築〟をわかりやすく紹介してみましょう。先程の例で見ると、西洋中心主義は音声中心主義であり、デリダに言わせるとプラトン以来のロゴス中心主義なのです。プラトン以降、西洋の形而上学や哲学は、基本的にロゴス中心主義です。プラトンは、語ることと文字に書くことを比較して、文字に書くことは二番手だから、真理には遠いと考えました。そして、語ることによって初めて、私たちは真理に到達できると考えたのです。

その意味でも、プラトン以来のロゴス中心主義という形になるのですが、それではどうやってデリダはロゴス中心主義を突き崩す、つまり、〝語ること〟と〝文字に書くこと〟を逆転させるのでしょうか。デリダはここで、「パロール」と「エクリチュール」という言葉を使用します。「パロール」が語ることで、「エクリチュール」が書くことを意味するのですが、単純に逆転させて、エクリチュールがパロールに先立つと考えるのは、歴史的に無理があります。いくら歴史を遡っても、文字は必ず語ることの後にしか出てこないのです。

単純には逆転させられない「パロール」と「エクリチュール」を逆転させるために、デリダはひとつのロジックを用います。そのロジックとなる〝アルシ〟は、ギリシャ語の〝始原〟を意味するアルケーから来たフランス語で、日本語では〝原〟と訳されます。デリダは、「パロール」と「エクリチュール」のほかに、「アルシ・エクリチュール」という言葉を作り出します。この〝原文字〟を、パロールより先立つものとして導入したのです。

〝原文字〟は文字ではありません。文字であるならば、ただのエクリチュールになります。つまり、〝アルシ・エクリチュール〟は、文字でもなければ、音声でもないのです。言葉というものは、〝区別を作ること〟が原則なので、この区別を作ることを〝アルシ・エクリチュール〟と呼び、このアルシ・エクリチュールがあることによって、初めてパロールが存在することになると定義したのです。

アルシ・エクリチュールを想定することで、パロールとエクリチュールを逆転させてみせたデリダですが、ここですぐに「アルシ・エクリチュールなんてどこにあるのか？」という疑問が生まれるのは当然だと思います。しかし、そんなものはどこにもありませんし、これこそがデリダによるひとつの論理なのです。

デリダにとって、根源的なものは、想定はできるが具体的に示すことができないものであり、根源的なものにはいつまでも到達できないというのが大きな前提になっています。実際、根源的なものには到達できないという考えはおかしなことではなく、例えば「言語起源論」を考えた場合も、いくら遡っても起源には到達できず、根源的なものにはいつまでも手が届かないのです。

根源的なものを具体的に示すことができれば話は簡単なのですが、そんなものはどこにもなく、彼の言葉を使えば「痕跡」しか見ることができません。根源的なものはどこにもなく、あくまでも「痕跡」のみがある、というのがデリダの考え方なのです。

別の例で説明すると、我々が真剣な行為をするとします。「真剣な行為」と「演技」を比較した場合、演技というのは真剣な行為の真似事として考えることができます。つまり、オリジナルとなる真剣な行為に対して、演技というコピーがあるとします。そこで、教師が講義を行い、それをモデルとした演技が行われる場合、そもそも、最初の講義はオリジナルの行為なのでしょうか？

つまり、教師が行為を行う場合、教師とはこうするものだというひとつの前提が存在し、その前提に基づいて、教室に入って、挨拶をして、講義をしたり、課題を与えたりするのです。話し方にしても接し方にしても、これが教師風のやり方というイメージがあるので、教師の行為が演技（コピー）ではないとは言えない可能性があるわけです。

例えば、自分の先生のやり方から学んでいたのだとすると、オリジナルだと思ったものが、実はコピーだったということになります。それは自分の先生かもしれないし、同僚の教師かもしれないし、あるいは本で読んだのかもしれない。いずれにせよ、どこまで遡っても、オリジナルにはたどり着けないと思います。そして、オリジナルを示すことはできず、あくまでも痕跡しか残っていないというのがデリダの考え方なのです。

デリダは、脱構築において、「アルシ・〇〇」といった根源的なものを提示するのですが、それは手にとって示せるようなものではありません。しかし、それを想定しないことには、脱構築ができないのです。単純にパロールよりもエクリチュールが先立つと言っても、歴史的には絶対的にありえません。

だから、パロールではない、文字の基本的な構造という意味でのアルシ・エクリチュールを想定することによって、そこからパロールもエクリチュールも成立するという考え方を提示したのです。

しかし、これで脱構築が成立したと言われても、直接手にとって示すことができるものは何もないので、基本的に証明にならないのです。ただ、言語起源論を考えた場合、言語の一番最初の起源には絶対にたどり着けないのですが、だからといって、言語の起源を問うこと自体は決して無意味なことではありません。結局のところ、デリダの〝脱構築〟は、私たちが陥っている誤りや対立構造から脱却するというところに議論の面白さがあるのですが、具体的な証明は存在しないので、どこまでいっても論証された感じにならないというところも否定はできません。

いかに解体して構築するかを示したことが最大の功績

ポスト構造主義はテクスト主義のような形で呼ばれることもありますが、デリダの有名な言葉に「テクストの外には何も存在しない」という表現があります。この、文字によって構成されたもの、文字によって解釈されたものしか存在しないという考え方が、批判の対象になることも多いのですが、デリダは別に、文字によって構成されたもののみが唯一存在すると言っているわけではないのです。あくまでもテクストにおいて議論されているものは、テクストを追うのが基本ですから、テクストとは別枠のものを持ってきて反論することはしないだけです。

デリダのやり方は、相手のテクストを徹底的に分析するというもので、ソクラテスが相手に好きなように話をさせて、その中から論理的な矛盾を導き出すのと同じように、デリダも、相手のテクストを徹底的に読み込んで矛盾を導き出すテクスト分析主義であり、極端な例では、4、5ページくらいの文章を200、3

00ページくらいかけて解明していくようなことも珍しくないのです。

その意味でのテクスト主義が、逆にテクストの外には何も存在しないという形での相対主義的な考えと一緒になって誤解を受けてきたところもあります。ただし、いずれにしてもデリダのやり方は、最終的に疑問が残ることが少なくないのです。つまり、脱構築をして、一体何が言いたいのかがわからないのです。

壊したいものがあり、その壊したいもののテクストを徹底的に分析することで、相手の言わんとしていることを逆転させてしまう。その手腕は非常に鮮やかで、見ている側は思わず納得してしまいます。しかし、それをやることで何が始まるのか、あるいはどういう世界を描こうとするのかということについての積極的な提示はまったく出てきません。これがデリダの面白さであると同時に、デリダに対する大きな不満となるのです。

デリダを読むと、思わず感心してしまうことがたくさんあります。テクストの中から思わぬ視点を打ち出し、テクストをそのまま使いながら、まったく違った視点を引き出し、前提としていたものを突き崩す。なるほど、こうやって読むのかと驚かされることも少なくありません。しかし、読み終わった後に何も残らないのです。それが面白いと思う人には面白いのですが、結論や答えを求める人はおそらくがっかりすることでしょう。

デリダの根本にあるのは、根源的なものには到達できないという考え方であり、これはおそらく、彼が偶像崇拝を禁止しているユダヤ系であることがひとつの理由になるのではないかと思います。根源的なものはそもそも掴むことができないのだから、最初からそれを描こうという意図がないのです。理想社会はこうだとか、人間の尊厳はこれだといった、マルクス・ガブリエルが言いそうなことは、絶対にデリダは言いません。

私たちは、ほとんど無防備な形で、無自覚に階層秩序的な考え方をします。そして、多くの人は階層秩序があった場合、下の立場から上を叩き潰そうとするのですが、階層秩序の上下関係を単純に逆転させても上手くいかないというのが大きなポイントで、脱構築、いかに解体して構築するか、その方法を示したのがデリダの最大の功績なのかもしれません。

※1 サルトル
ジャン＝ポール・シャルル・エマール・サルトル（1905〜1980年）。フランスの哲学者・作家。無神論的実存主義の提唱者で、マルクス主義を評価した。ノーベル文学賞の受賞を拒否したことでも知られる。

※2 実存主義
「人間においては実存が本質に先立つ」という考え方で、本質（本質存在）に対して実存（現実存在）を優位とする思想。キルケゴールに端を発する20世紀の有力な哲学潮流のひとつで、ドイツのハイデガー、ヤスパース、フランスのサルトルらが代表。

※3 レヴィ・ストロース
クロード・レヴィ・ストロース（1908〜2009年）。フランスの文化人類学者。親族構造や神話、未開社会を構造言語学の音韻論を用いて分析し、構造主義の礎を築いた。サルトルの「弁証法的理性批判」を批判したことでも知られる。

※4　構造主義
社会や文化を「構造」として捉え、「構造」を分析することで現象を理解する手法。哲学思想にとどまらず、様々な学問分野でも応用される。レヴィ・ストロース、ジャック・ラカン、ミシェル・フーコーらが代表。

※5　フーコー
ミシェル・フーコー（1926〜1984年）。フランスの哲学者。ニーチェとハイデガーの影響を受け、構造主義の代表的な哲学者とされる。「知と権力の関係」を解き明かし、『狂気の歴史』『知の考古学』『監獄の誕生』などを著した。

※6　系譜学
歴史学の一部門とされる。家系や血筋を研究することによって、社会の変遷をたどる研究も系譜学に含まれる。

第3章 ニック・ランド

1962年イギリス生まれ。ドイツ哲学研究を経て、1987年にはウォーリック大学の講師に就任。加速主義で有名。1990年代中頃から「サイバネティック文化研究ユニット（Cybernetic Culture Research Unit：CCRU）」を主宰。

ニック・ランドはイギリス人で、かつてウォーリック大学で講師をしていたときに、サイバネティック文化研究ユニットと呼ばれる組織を立ち上げました。これは公的な機関ではなく、サークルや同好会みたいな組織で、そこに彼を信奉する若い人たちが集まってきたのです。その中には、非常に優秀な学生や研究者、さらには音楽家や後に出版社を立ち上げる編集者などに加え、21世紀になって、〝思弁的実在論〟を掲げてメイヤスーと一緒に活動するような人たちも出てきたのです。

加速主義の源流であり思弁的実在論の源流

その意味でニック・ランドは、21世紀の哲学を支える若手が輩出する、ひとつの源流を作ったわけです。彼にはちょっとしたカリスマ性があり、バランスよく何でも理解するというよりは、自分の発想を強く主張するタイプで、人間的にもエキセントリックなところがあったのですが、そのあたりが、多くの若者を惹き付ける魅力になったのかもしれません。当時イギリスで流行っていたパンクロックやダンスミュージックなども取り入れ、おそらくドラッグにも関わっていたのではないかと言われています。思想的にも、活動的にも、ちょっと危険で、ギリギリを攻めているような時代でもあり、10年ほどで大学を辞めています。

彼が活動を始めた頃は、ほとんど無名の存在でしたし、講師時代に書いた論文で有名になったわけでもありません。むしろ、大学を辞めてから、周りの弟子たちが新しい哲学思想を広げたり、思弁的実在論を立ち上げたりしたことが、彼に注目が集まるひとつのきっかけになりました。そして何よりも、大学を辞めた後、中国に渡って、上海で出版社に勤めたり、大学で講義を行ったりした後、2010年代に、ブログで発表した「暗黒の啓蒙」が、アメリカの政治思想、特に反動思想に影響を与えたことが大きなポイントになっています。中でも、トランプを大統領に担ぎ出したバノンなどの反動思想家たちがニック・ランドを師と仰ぐなど、アメリカの政治思想に非常に大きな影響を与えたのです。

そして、彼がより注目されるようになったのは、2010年頃にイギリスで彼の初期論集が出版されるようになり、その考え方が「加速主義」として取り上げられ、評価されるようになったからです。

さらに、その考え方を受け継ぐ若手たちも現れるのですが、その若手たちはどちらかというとニック・ランドに批判的でした。ニック・ランドの加速主義はアメリカの反動思想に影響を与えたということもあって〝右派加速主義〟、若手の加速主義は〝左派加速主義〟と呼ばれています。

この加速主義という考え方を打ち出したのはニック・ランドですが、打ち出した当初の1990年代にはあまり注目されませんでした。それが21世紀になり、哲学の新しい可能性として、あらためて話題となり、1990年代に立ち上げた奇妙な組織から、〝思弁的実在論〟のような新しい方向性が打ち出されたのです。

この思弁的実在論は、マルクス・ガブリエルの〝新実在論〟と対になって、世界的に紹介されるようになったのですが、その意味で、ニック・ランドおよびニック・ランドのサークルは、21世紀の加速主義の源流であると同時に、〝思弁的実在論〟の源流にもなっていたのです。

マルクスの考え方こそが加速主義

ニック・ランドは、決してバランスの取れた、議論をきれいにまとめるタイプの人ではなくて、自分の考え方やイメージを積極的に打ち出していくタイプで、その意味では、とにかく極端にまで走る傾向があります。そして、サイバネティックスやデジタルテクノロジー、さらにはバイオテクノロジーといったものを積極的に肯定します。

〝加速主義〟自体はニック・ランドが命名したわけではなく、21世紀になってあらためて命名された言葉ですが、一番の基本となる考え方がニック・ランドの思想をもとにしていたので、彼の考え方を加速主義と呼ぶようになったのです。
〝加速主義〟のポイントは、進化を止めないところにあります。いわゆる〝人新世[※1]〟といった発想においては、社会を維持するために、経済活動を抑制する方向に向かいますが、加速主義では抑制することなく、どんどん進めていきますし、進めていかなければ、社会は変化しないと考えます。

ニック・ランドは、自分の考え方の源流をマルクスやドゥルーズに置いていますが、マルクスの考え方こそが加速主義だと彼は考えています。マルクスは、資本主義が成立するときには、機械工業、蒸気機関に限らず、様々な機械が導入されるのが大前提になっていて、機械が導入されることが資本主義の成立にとって非常に重要であると考えます。当然、機械が導入されると、労働者が職を失ってしまうので、ラッダイト運動のような機械破壊運動が起こるわけですが、実はマルクスは、機械が導入されることについて一度も否定したことがないのです。労働者の立場に立つのがマルクス主義の基本であり、機械が導入されれば失業者が増えることを承知しながらも、機械の導入を止めるべきだとは絶対に言わないのです。機械が導入されて、生産力が上がれば、労働者の立場も向上することを彼は想定しているので、生産力を抑制したり、発展を止めるという方向には絶対に持っていかないのです。

これはグローバリゼーションに対しても同じ考え方で、グローバリゼーションが成立することによって、初めて世界革命が生じるというのがマルクスのイメージなのです。輸出が拡大し、国同士が連関することで、差別や格差が生じます。だからといって、グローバリゼーションを止めたり、経済発展を抑えたりする方向には絶対に向かいません。進めていかない限り、変化は起こらないというのがマルクスの基本的な発想であり、それこそが加速主義であるとニック・ランドは考えるのです。

これを明確な言葉で表現したのがドゥルーズです。ドゥルーズは『アンチ・オイディプス』において、欲望は抑制するのではなく、どんどん広げていくべきだとしています。しばしば、資本主義は欲望を肥大化させて、人間性を失うから良くないという論調もありますが、ドゥルーズは、欲望を抑えつけることでまっとうな社会を作ろうという発想はとりません。欲望が出てきたら、どんどん広げていけば良い。未来はその先にしか見えないと考えたのです。

加速主義という発想においては、格差が広がったり、人間性が失われるという意味で疎外が生じたとしても、生産活動を縮小するようなことは絶対にしません。むしろ、疎外をどんどん広げることによってしか、疎外を克服する方法はないと考えるのです。要するに、否定的なものが生まれるときに、これ以上の否定的なものが生まれないように抑制しましょうという発想ではなく、否定的なものが生まれたら、その傷口はどんどん広げていくべきであり、傷口を広げていくことによって初めて、次なるステップが生じるというのが加速主義の発想なのです。

デジタルテクノロジーの場合も、生産力が伸びたり、仕事の効率がはかどる一方で逆に仕事が増えてしまったり、人間が支配されてしまうのではないかという意見もありますが、それでもどんどん使っていこうというのが加速主義です。それによってさらなる軋轢《あつれき》が生じることになっても、抑制することでは問題は絶対に解決しないという考え方なのです。

だから、テクノロジーはどんどん進めていくべきだし、人間の遺伝子をいじることだって厭いません。人間とアンドロイドみたいなSF的な話においても、どんどん進めていくのが加速主義。それによって、人間のあり方が変わったり、人間が人間でなくなる可能性が出てくるかもしれませんが、そういった脱人間化が起こったとしても、基本的にすべて受け入れるのが加速主義の発想なのです。

マルクス・ガブリエルはまったく逆で、デジタルテクノロジーを導入したり、バイオテクノロジーを進めていくと、人間性や人間の尊厳が失われると考えます。だから、抑制しなければならないと考えるわけですが、ニック・ランドは、むしろどんどん進めていくことによってしか次のステップは見えてこないと考えます。今のテクノロジーを使っていけば、今後何らかの問題点が生じるかもしれない。

だからといってそのテクノロジーを使うのを止めたりせず、さらに使っていくという発想なので、いわゆる右派に支持されるのです。極端に言えば、生まれ持ったひとつの遺伝子に固執するから人種差別が起こるのであり、どんどん遺伝子をいじっていけば差別もなくなるというのが加速主義の考え方になります。

右派加速主義と左派加速主義

ニック・ランドは「暗黒の啓蒙」と名付けましたが、そもそも〝啓蒙〟というのは、西洋の民主主義の基本であり、何よりも平等性が前提になっています。しかし、ニック・ランドは平等性をまったく想定していません。そして、その意味では民主主義そのものも想定していないのです。実際、アメリカの政治も含めて、そろそろデモクラシーが限界を迎えているのではないかと非常に多くの人が考えていますが、加速主義の立場で言えば、さらに突き抜けていくべきなのです。

加速主義というのは、別の世界に抜けていくという発想なので、ニック・ランドは、民主国家、西洋近代が一つのモデルにしたものを抜けていこうと考えているのです。これがニック・ランドの基本的な発想で、彼が右派と呼ばれるのは、民主主義を抜けていくという発想を持っているからです。

それに対して、若手が唱える左派加速主義は、資本主義を抜けていくという発想をとっています。左派加速主義の場合、機械を導入することによって、人間が働かなくてもよくしようと考えます。機械化をどんどん進めていって、ロボットやAIを活用すれば、人間は働かなくてもよくなるというのが左派加速主義の発想です。だから、左派加速主義の立場では、人間の労働は、ロボットやAIに任すべきであり、人間が汚れ仕事をする必要はありません。そういったことが私たちの技術で可能になっているのであれば、それによって社会を抜けていこうという発想なのです。

近代社会には、「自由」と「平等」という二つの価値観があります。普通はこの二つがうまく並列すればよいと考え、憲法でも、人間は自由にして平等なものとして生まれるといったことが書かれています。しかし、当然の話で、自由にすれば平等にはなりませんし、平等を強く主張すれば、自由はどこかで抑えつけなければならなくなります。この場合、加速主義者は、基本的に自由を肯定して、平等を否定します。つまり平等は抜けていこうとするわけです。

この発想はおそらくアメリカのテック企業にとって、非常に親和性が高く、どんどん自由な形で開発していこうという考え方になります。ペイパル（PayPal）の創業者であるピーター・ティールなどは、自由を肯定するので、平等を否定していくという意味で民主主義は間違いだという発想を持っていますが、その思想的な根拠を与えたのが、ニック・ランドの加速主義なのです。

今後の活動は未知数だが現代の大きな可能性の一つを示した

ニック・ランドが大学を辞めた後、なぜ中国に渡ったのかはあまり明確になっていません。そもそも大学を辞めた理由も謎なのです。その意味で、人物的にちょっと謎が多く、それゆえに興味を惹かれるということもあるかもしれません。大学を辞める直前に出した論文は、あまりまともなものではありませんでした。数式ばかりが羅列されたもので、おそらく精神的に極限を迎えていたのではないかと言われています。自分から辞めたのか、解雇されたのかは不明ですが、いずれにせよ、もはや大学で研究活動を進められるような状況ではなかったようです。

そして、大学を辞めてから中国に渡るまで、10年くらいのブランクがあるのですが、そのブランクについても詳細はわかっていません。いつの間にか「暗黒の啓蒙」をブログで発表し、急激に注目されるようになったのです。実際のところ、おそらく彼自身は、自分が哲学者として評価されるかどうかなど、まったく意識していないと思います。

はたして今後はどのように活動していくのかまったく不明ですが、現代のひとつの大きな可能性として〝加速主義〟という考え方があり、その加速主義を主張したのがニック・ランドであるということだけは、哲学の流れを俯瞰する上でも、押さえておきたいポイントなのです。

※1 人新世
人類が地球の地質や生態系に与えた影響に注目して、パウル・クルッツェンらによって提唱された現代を含む新たな地質時代区分。非公式の用語であり、開始年代についても議論が続いている。

第4章

フリードリヒ・キットラー

1943年生まれ、2011年没。ドイツの哲学者。メディア論を軸に思想・文学・芸術・歴史を論じ、20世紀後半の諸分野の知に大きな影響を与える。

キットラーは10年くらい前に亡くなったのですが、これからの活躍が期待されていた哲学者でした。哲学者というよりも、どちらかというと、記号論者、メディア学者として位置付けられることが多い人物です。

メディアこそがすべてである

20世紀の哲学の大きな方向のひとつに〝言語論的転回〟、つまり、言語に着目して哲学を構想するという流れがありました。そして、言語といってもどういう形で伝えるか、音声だったり、文字に書いたりといった方法が注目されるようになり、20世紀の後半からは、非常に大きな力を持ち始めたインターネットを中心としたデジタルメディアが持つ意義を、言語論的転回の中でどのように位置付けるのかが大きな問題となってきたのです。

当時のドイツ人は、言語論的転回を次のステップへ、言語論的転回からメディア論的転回へと進めようとしました。言語は真空状態で使われることはなく、ちゃんとした技術的な媒体があって、それに基づいて伝えられるものだから、その技術的媒体は単なる手段ではなく、その媒体によって大きな違いが出てくるはずである。だから、それを無視して言語や記号を解明することはできないと考えたのです。

そして、20世紀の初めに言語論的転回が登場したのと同じように、20世紀末に新たな転回、新たな哲学の方向付けとして、メディア論的転回という考え方、そしてメディア学が生まれ、その中からキットラーが登場したのです。

メディア論自体はマクルーハンが1960年代に唱えたもので、そこでメディアの概念が変わったのです。それまではメディアと言うと、単純な〝中間〟であり、ただの〝真ん中〟で、特別な意味を持ち合わせてはいなかったのですが、そこに〝コミュニケーション媒体〟という意味を加えて着目したのがマクルーハンでした。

本来の意味で言えば、イエス・キリストも、神様と人間の真ん中という意味でメディアです。以前は、その程度の意味でしか使われていなかったメディアを、テレビやラジオ、雑誌などのコミュニケーション媒体という意味に変えたのがマクルーハンの大きな功績であり、それ以前にメディアという言葉が、そういった意味で使われることはほとんどありませんでした。

これがマクルーハンのメディア概念なのですが、キットラーは、単純なコミュニケーション媒体、あるいは情報媒体という意味だけでなく、メディアをもっと広い意味で使用しました。例えばキリスト教の場合、単純な理論だけで伝わるわけではなく、教団や教会といった媒体が必要であり、その媒体によって様々な形で情報の内容が変わっていきます。そういった意味でもメディアを使用するなど、メディアの概念を幅広く使い始めたのが、キットラーの特徴と言えます。

それまで哲学の大きな変化や原理を、言語という形で考えていたのに対し、むしろ言語そのものを担っているメディアこそが重要であり、メディア抜きに言語だけを分析してもあまり意味がないという考えから、キットラーは「メディアこそがすべてである」と主張しました。

メディアによって、私たちはものの見方や考え方、そして様々な形での行動様式が大きく変化するのであると考えたのです。哲学が20世紀の終わりに来て、そろそろ大きな変化が必要になった。あるいは、〝言語〟というだけでは収まらなくなったところから、メディア論、メディア論的転回というのは、キットラーに限らず、さらにはドイツだけではなく、世界的な非常に大きな流れになったのですが、それを具体的に、そして歴史的に位置付けたところが、キットラーの重要性になっています。

キットラーのメディア論とは

フーコーは、『言葉と物』という本の中で、〝エピステーメー〟という概念を使って認識の仕方を分析していますが、キットラーは、この〝エピステーメー〟こそがメディアであると考えました。

フーコーは「歴史的アプリオリ」という表現を使って説明していますが、このアプリオリというのは〝先験的〟という意味で、本来は歴史的に変化しないのがアプリオリであるのに対し、〝歴史的アプリオリ〟という形にすることで、私たちが物を見たり考えたりするときに、それを根本的に規定しているもの、つまり〝アプリオリ〟は歴史的に変わるものだと考えたのです。この歴史的に変わるものをフーコーは〝エピステーメー〟と定義したのに対し、キットラーはさらにメディアという形に置き換えたのです。

私たちは何か物を見るとき、非常に単純な話では、まず光、あるいは光線が必要だし、当然のごとく目が必要になります。そして、光線の状態によって物の見え方は変化します。一方、言葉でコミュニケーションをする場合、音声であれば音が必要だし、それを伝えるための空気媒体が必要になります。さらに、何か書かれたものとなると、紙が必要だし、何か筆記具も必要になります。

このように、媒体の違いによって、私たちの理解の仕方が大きく変わってくることを明らかにしようというのが、キットラーのメディア論なのです。

私たちはマスメディアと言うと、放送局や新聞社、あるいは出版社といったイメージを持ちますが、もっと根本的な意味でのメディアは、私たちが物を理解する、認識する、あるいは感じ取るときに必要な物質的な基礎を意味します。そのために、メディアという概念を非常に広く取る必要があったのです。

マクルーハンにとってのメディアは〝身体の拡張〟でした。だからマクルーハンは、道路や橋、車の車輪などもすべてメディアと呼んだのですが、具体的にそれらがどのように私たちの認識や理解に関わってくるかまでは、細かく分析しませんでした。

それに対して、キットラーには、メディアによって実際どのような形で私たちの理解や認識を可能にするかを分析しようという意図がありました。そして、メディアこそが歴史的なアプリオリであり、メディアに基づいてのみ私たちは理解が可能になると考え、メディアは単純な道具ではなく、認識や理解の根本に関わるものだからこそ、〝アプリオリ〟だと考えたのです。

技術メディアという概念の提唱

これがキットラーのメディア論の重要性で、メディア概念を非常に広く取ったことと、言語論的転回と呼ばれたものを、メディアという、技術的かつ物質的な媒体によって強く主張したことが大きなポイントになっています。

メディア概念の拡張および具体化、そしてそれを歴史的な形で解明しようとしたキットラーですが、彼の文章は非常に読みにくいのが特徴で、何か文学作品のように書かれているきらいがあって、論文としての明快さよりも、レトリックやメタファーが重要視されており、一度読んだだけではなかなか理解しづらい文章になっています。

おそらくフランス現代思想の影響を受けていることもあり、そのスタイルにあわせて書こうという意識があったのかもしれませんが、その結果として、あまりにも難解なゆえに、一般の読者をそれほど多く獲得することはできませんでした。実際、彼のドクター論文も、教授たちの中で評価が分かれて、非常にすばらしいという人と、一体何を言っているのかわからないという人に二分されたそうです。

誰もが理解し、評価できるような形の論文ではなく、非常にエキセントリックで、読む人によって評価が大きく変わるタイプだったので、なかなか一般化しづらい部分はあったと思うのですが、メディアに着目したということに加えて、20世紀の後半から始まった、インターネットを中心としたデジタルメディアの普及が、社会的な大きな変化を引き起こしたわけですが、キットラーのメディア論はそれを理解するために、重要な意義を示したのではないかと思います。

技術メディアの歴史的な転回について、彼自身が、音声から始まる現代までの歴史を書いているのですが、その中で〝技術メディア〟という概念を提唱したことにまずは注目したいと思います。

メディアの歴史というのは、音声や文字、書物、そして現代のインターネットみたいな流れで語られることが多く、マクルーハンもおそらく、活版印刷のグーテンベルク革命の次は20世紀のインターネットへと繋げられると思われますが、キットラーは、19世紀に起こったメディア革命に着目し、それを〝技術メディア〟と名付けました。そして、この技術メディアを二つの種類、すなわちアナログの技術メディアと20世紀のデジタル技術メディアに分けて考えたのです。

19世紀のアナログ技術メディアと20世紀のデジタル技術メディア

アナログの技術メディアというのは、写真や映画、蓄音機、タイプライターなどを意味します。かつての音声メディアの時代は、直接的で近い範囲のコミュニケーションが基本で、音声を発して理解し合うわけですから、あくまでも感覚が中心になります。これは聴覚的な音だけでなく、視覚的なものも同じで、感覚的なものは、時間的にはすぐ伝わりますが、たちまち消滅してしまうという特徴があります。

つまり、この残らないというのが音声メディア時代の大きなポイントで、それを残せるようにしたのが続く文字メディアなのです。しかし、文字メディアの場合は、音声メディアが持っていた感覚性が消えてしまいます。文字は意味を読み取る必要がありますから、即興的には伝わりませんし、意味を読み取るための能力が前提になります。

ドイツ語で〝意味〟はSinnですが、複数形のSinneは〝感覚〟となります。同じSinnの単数形と複数形を使ってメディアを考える、つまり感覚的なものと意味的なものに分けると、音声メディアが持っていた視覚や聴覚は、即興的に〝感覚〟的なものを伝えることが重要であるのに対して、文字メディア、特に書物メディアになると、〝意味〟が重要になって、感覚性が消えてしまうのです。

それに対して、キットラーの考える19世紀の技術メディアは、文字メディアが持っていた保存性や記録性を保ちながら、〝意味〟に変換せず、写真なら見たものをそのまま、蓄音機であれば聞いたものをそのままの形で保存します。それによって、特別な人だけが理解できる、意味のわかる人だけが利用できる文字メディアとは異なり、技術メディアは、見ただけで、聞いただけで即座に理解できるというわかりやすさ、そして大衆性を手に入れたのです。

従来、感覚的なものは保存も記録も伝達もできず、保存や伝達をする場合は、いったん文字などに変換する必要があったのに対し、技術メディアによって、感覚をそのまま保存したり伝達したりすることが可能になったのです。

写真や映画や蓄音機はそれ以前からあったのですが、ただの面白い、興味深いだけの存在で、メディアとしての意義はほとんど理解されていませんでした。しかし、それらをメディアとして注目し、技術メディアの持つ革命性を強調したのがキットラーなのです。

これまで何千年にもわたって不可能だった感覚的なものの保存や伝達が、19世紀の記録メディアによって可能になったわけですが、技術メディアの強みである、意味に変換しないから大衆的であり、誰でも理解可能で、即座に理解できるという特徴が、ファシズムなどの政治運動に対して、非常に強い形で影響を与えたことも否定はできません。そして、20世紀の後半に始まったデジタル技術メディアは、さらに大きな変革をもたらしたのです。

デジタル時代の哲学者の先駆者

これまでのメディアは、感覚にしても目で見たものと音で聞いたもの、文字で表されたもの、すべてを違う種類のものとして保存したわけですが、デジタルメディアはこれらをすべて数字に変換して保存するのです。数字にすることで、すべてをメディアに統合できる反面、数字に変換されているので、いくらでも加工することができるのです。その意味で、デジタルメディアに対してキットラーは、「あらゆるメディアの終わり」と表現したのです。

つまり、これまでのメディアは、感覚を感覚として理解するか、感覚を別の形に置き換えるかの二択で、アナログの技術メディアにしても、種類が異なるものは異なるメディアで残すのが基本だったのですが、デジタルメディアでは、すべてが数字という形で一元化されてしまうのです。その意味で、デジタルメディアを〝メディアの統合〟と見なし、統合されるということは、メディアそのものが終わることであるというのがキットラーの考えなのです。

これは、それ以上の変化がないという意味での〝終わる〟であり、人間とともに始まったメディアの歴史の終わりだと考えたのです。そして、最後の段階であり、完成形という意味での終わりに加えて、メディアが持つ目的の実現形態という意味も含まれています。終わり、すなわち〝エンド〟は目的ですから、終わりというのは目的に達していることをも意味しているのです。

そのままでは伝えることができないから、何か媒体を使って伝えるというのがメディアの基本でしたが、媒体の違いがすべて消えてしまうのですから、もはやメディアそのものの違いを論ずる必要はなくなりました。

そして、これまで私たちが見たり聞いたりした際に感じていたリアリティもすべて数値化されてしまい、その数値化された情報が操作されたとしても、もはや私たちにはその変化を認識することはほとんど不可能なのです。

デジタル化には様々な問題がある一方で、例えばＡＩについて考えた場合、アナログだと人間の脳をどのように繋げるかという課題が出てきますが、デジタルであれば、脳の情報処理もデジタル情報であると考えれば、そのまま繋ぐことができる可能性も出てくるわけです。

デジタル時代になり、すべてを数値化することで、情報の一元化が可能になり、アナログではほとんど不可能だった、人間の情報と機械の情報を繋ぐことができる可能性が生じてきたのです。

キットラーは生前、あまり大きな話題になることはなかったのですが、彼のメディア論が注目されるようになったのは、デジタルメディアが急激に発達したことがひとつの理由になっています。その意味で、現在のデジタルメディアの影響力を考えると、もう少し長生きしてほしかった哲学者だと思います。

第5章

リチャード・ローティ

1931年生まれ、2007年没。
アメリカの哲学者。ネオプラグマティズムの代表的思想家。

アメリカの哲学は19世紀末のプラグマティズム※1で幕を開けました。ジェームズやデューイ、パースといった哲学者たちが登場し、19世紀末から20世紀の初めにかけて、非常に大きな影響を与えました。その後、ヨーロッパの分析哲学※2、あるいは科学哲学※3と呼ばれるものの研究者たちがアメリカに移ってきたことで、1930年代以降は分析哲学が定着し、今度はアメリカの大学において、分析哲学の伝統が作られていったのです。

ヨーロッパ哲学に対する造詣が深かったローティ

分析哲学は、基本的には論理学や科学を中心に哲学活動を行うもので、ある意味、科学を勉強するように、教科書的に哲学を学ぶことができます。そして、分析哲学に基づく哲学の教育システムが出来上がっていく中、登場したのがリチャード・ローティです。

彼は分析哲学の教育を受けた哲学者ですが、他の分析哲学の研究者たちとは違い、ヨーロッパ哲学に対する造詣が深かったのが特徴です。一般的な分析哲学者は、ハイデガーやフランスの哲学は論理的でなく、レトリックで何を言っているかよくわからないと言って切り捨てる傾向にあります。それに対して、ハイデガーやデリダ、フーコーといったヨーロッパの哲学者たちの議論を理解できるのがローティの強みでもあったのです。

昔からヨーロッパの哲学は、大陸の哲学とイギリスの哲学、つまり大陸合理論とイギリス経験論という形で、対立が続いていました。このイギリス経験論をアメリカの哲学として引き継いだ上で、大陸の哲学とアメリカの哲学の合一を成し遂げたいという発想がローティにはありました。

彼はもともと、哲学ではなく比較文化学を専攻しており、専門的な形の分析哲学を解明するというよりも、むしろ文学や芸術、宗教、さらには科学も含めた文化活動の一環として、哲学を考えていこうというスタイルが特徴でした。

私たちが学生だった1970年代くらいの世界は、英米系は分析哲学、ヨーロッパは実存主義とマルクス主義といった区分けがありました。英米系はイギリス経験論から分析哲学へと移行したので、分析哲学の伝統はイギリスとアメリカにあり、分析哲学を研究する人は英語圏で研究活動を行う人が多数派でした。

実際のところ、これは歴史的にはあまり正しくなく、もともと分析哲学は、19世紀末にドイツやオーストリアで始まった哲学で、必ずしもイギリスやアメリカが発祥の地ではありません。ただ、それを発達した形で引き継いだのがイギリスとアメリカだったので、分析哲学といえば英米系であり、〝新しい経験論〟と呼ばれたりするのです。

そういった状況において、ローティは、アメリカの伝統的な哲学である分析哲学と、ヨーロッパの解釈学や実存哲学、あるいはフランスの構造主義を念頭に置きながら、それを統合するという強い意図を持って登場しました。

分析哲学は言語論的転回である

ローティの学問的なデビューは、自分の本を書くことではなく、『言語論的転回（The Linguistic Turn）』という本を編集したことでした。この本を編集し、序文を書いたのが、彼のデビューだったのです。この〝言語論的転回〟は哲学史においてしばしば使われる言葉ですが、この流行を作ったのはローティの本だったと言われています。

ただ、注意すべきなのは、この『言語論的転回』という本は、分析哲学がいかに始まったのかを解き明かす論文を集めた本だったのです。その意味で、分析哲学というのはまさに〝言語論的転回〟であるという形で彼は紹介したのですが、この〝言語論的転回〟という言葉は、彼が作った言葉ではなく、他人の言葉を借用したものです。

しかし、彼が鮮やかだったのは、19世紀末から20世紀の初めに起こった分析哲学は、まさに言語というものに基づいて哲学を構想する、つまり〝言語論的転回〟を行ったと定義したところです。それ以前のヨーロッパ哲学の、意識や認識といったものを研究するのとはまったく違った形で出発点を作ったという発想から、彼は分析哲学を〝言語論的転回〟と呼んだのです。

ですが、これが独り歩きしてしまい、〝分析哲学〟が言語論的転回であるというのがもともとの意図であったのに、いつの間にか〝20世紀哲学〟が言語論的転回だと言われるようになってしまったのです。

とはいえ、20世紀の哲学は、分析哲学に限らず、構造主義にしても、ハイデガーの実存哲学にしても、ガダマー※4の解釈学にしても、結局は言語であり、その意味では、言語のあり方や言語コミュニケーション、アメリカなら文化人類学の中で語られるような言語による世界の見え方、あるいは理解のされ方など、すべて言語に着目するというのが20世紀哲学の非常に大きな特徴になっているのです。

だから、というと語弊がありますが、ローティはこの独り歩きした拡大解釈について、否定はしていません。しかし、〝言語論的転回〟という言葉でローティを語る際は、あくまでもこの本来の意図である分析哲学の成立ということを意識する必要があるのです。

プラグマティズムをあらためて復活させる

その後、ローティはデビュー作となる『哲学と自然の鏡』を執筆し、これがアメリカにおいて一躍流行したのですが、ここから彼は、近代哲学が意識や認識を中心に行ってきたものを、言語に基づくような形で変えていかなければいけないという発想を使い始め、自分の哲学そのものが、まさに言語論的転回に基づくものとして主張し始めたのです。

彼が一番最初に出した本は、必ずしもプラグマティズムを強調したものではなかったのですが、その後、分析哲学以前のアメリカ哲学の中心だったプラグマティズムを、分析哲学の議論を踏まえた上で、もう一回再建しようという動きを見せ始めたのです。

かつて流行したプラグマティズムをあらためて復活させる、つまりプラグマティズムの新しい形態という意味で、〝ネオプラグマティズム〟と呼ばれたりもするのですが、これには、分析哲学もそろそろ形を変えなければならないというローティの意図も含まれています。

そもそもローティは、何かの主義に固執するというスタイルはとらず、いろいろな考え方を柔軟に取り入れて、それを組み合わせていくことを好む傾向にあります。一般的に、分析系の哲学者は、ヨーロッパの解釈学や構造主義をそもそも受け付けない人が多いのですが、ローティは非常に度量が広く、理解力もあるので、自分たちの発想と組み合わせることで、さらに新しい方向性を作りだそうとします。だからこそ、分析哲学の伝統で育ってきたにもかかわらず、かつてのプラグマティズムの伝統をもう一度復活させて、その意義を確認しようとしたのかもしれません。

彼がプラグマティズムを復活させようとしたのは、分析哲学が少し硬直化していたというのがひとつの理由です。理論そのものの硬直化に対して、プラグマティズムを導入することで、現実とのギャップを修復しようという意図があったのだと思われます。そして、分析哲学者たちの議論を、ヨーロッパの哲学者たちや、かつてのプラグマティストたちの議論と結びつけることで、それぞれを活かしていこうという思いが強かったのだと思います。

さらに、ちょうどローティが活動していた時期は、政治哲学の分野において、ロールズのリベラリズム（114ページ）が大流行している時期でした。特に1970年代は、ロールズの『正義論』が、アメリカのほとんどの大学でテキストとして採用されたくらい流行したのです。それゆえ、アメリカの1970年代以降の政治哲学や政治理論はリベラリズムを基本にしています。

そして、ローティは、このリベラリズムを取り入れて、プラグマティズムと融合させようと考えました。ヨーロッパの思想を取り入れる。プラグマティズムを取り入れる。リベラリズムを取り入れる。このように、自分の理論と他の理論を対立させるのではなく、むしろ取り入れることによって、自分の理論を強くしていこうとする意識がローティは非常に強いのです。

ヨーロッパ伝統の哲学をアメリカナイズしていった

リベラリズムには二つの原理があり、一つはすべての人の自由を原則とするというもの、もう一つは格差原理と呼ばれ、その社会の中で一番恵まれない人の利益になるような形で少なくとも分配を行うというものです。

リベラリズムは、基本的には弱者救済の理論です。日本語で自由主義と訳すと、自分勝手に、自分の自由を展開するといった感じに思われがちですが、アメリカでは、弱者救済主義がリベラリズムであり、その意味で、リベラリズムを嫌がる人は、共産主義だ、社会主義だと揶揄するわけです。

ちなみに、自由そのものを尊重するのは「リバタリアニズム」で、リバタリアニズムの下では、平等性はほとんど無視されます。格差が生じ、不平等が生じたときに、その不平等に陥っている人をいかに救済するかというのがリベラリズムの一番のポイントで、リベラリズムを取り入れることによって、ローティは、経済理論としても、社会としても、自由とともに平等性を確保しようという意図があり、アメリカの民主主義とリベラリズムを結びつけていこうとしたのです。

なお、このアメリカの民主主義を強調したのは、デューイらのプラグマティズムであり、その意味では、プラグマティズムの伝統とリベラリズムを結びつけようとしたとも考えられます。

政治的な思想をも取り入れていくローティですが、実践的な形で政治活動を行うということはありませんでした。彼の基本的な発想は、リベラリズムにしても、プラグマティズムにしても、アメリカの伝統的な理論を再建するという意識が非常に強かったように思われます。祖国アメリカという意識が非常に強かったのです。

だから、ポリティカル・コレクトネスやエスニシティ、ＬＧＢＴＱなどの動きが活発になってきた当時のアメリカにおいて、ローティは、経済的な形での平等性ではなく、文化的な形での平等性を強調するアカデミック・レフト（大学左翼）がアメリカ社会に蔓延っていると考えました。そして、そういった大学左翼は社会を変える力を持っていないという形で批判し、むしろアメリカ社会の良き中間層における差別、つまり経済的な形での格差がグローバリゼーションによって生まれてきているので、それを救済することのほうが重要だと考えたのです。

ローティを語る上での最大のポイントは、ヨーロッパの哲学者との交流です。それまでの分析系の哲学者たちは、ヨーロッパの哲学者たちとディスカッションしたり、思想的な影響を受けることがほとんどなく、独自の分析哲学の伝統にのみ従って研究活動を行っていました。

しかし、ローティは、ヨーロッパ伝統の哲学者たちの考え方をアメリカの社会の中で活かすために、様々なものをアメリカナイズしていったのです。彼自身は左翼、リベラリストであったにもかかわらず、右翼に影響を与えてしまった可能性が指摘されるのは、彼の中にはアメリカ主義が基本にあり、伝統的なアメリカを築き上げた人たちへのリスペクトが強かったからだと思われます。

※1 プラグマティズム
ギリシャ語で「行為」や「実行」を意味する「プラグマ」を語源とし、実用主義、道具主義、実際主義などと訳される、現代のアメリカ哲学にも大きな影響を与えている哲学思想。パース、ジェームズ、デューイらが代表。

※2 分析哲学
人間の言語に注目し、言語を分析することで哲学の問題を解き明かす哲学思想で、英米を中心に発展。ヨーロッパの大陸哲学と比較される。ムーア、ラッセル、ヴィトゲンシュタインらが有名。

※3　科学哲学

本来は科学を対象とした哲学的考察を意味するが、分析哲学と同様の意味で用いられることが多い。

※4　ガダマー

ハンス・ゲオルク・ガダマー（1900～2002年）。ドイツの哲学者。言語テキストを解釈する文献学的な技法である「解釈学」の代表的な人物として知られる。

第6章

ジル・ドゥルーズ

1925年生まれ、1995年没。
フランスの哲学者。『アンチ・オイディプス』におけるフロイト主義批判で有名。

ドゥルーズはもともと哲学史家で、哲学者の説をまったく新しい視点から読むことに長けており、ニーチェにしても、スピノザにしても、今までに語られることのなかった読み方で紹介しました。新たな面白さや興味を引き出し、発見させることができるなど、哲学者を新たな魅力で描き出す哲学史家として優秀な人物でした。

フロイト主義への批判で名をはせたドゥルーズ

その功績を踏まえた上で、彼の非常に大きな特徴と言えるのは、マイナーなものに着目するという点です。哲学史の中でも、王道やメインストリームの人を取り上げるのではなく、どちらかというと、そこからハズレた人を取り上げながら、メインストリームを上回るほどの面白い哲学者として描き出すのです。

これは人物だけでなく、哲学史においても同様で、マイナーなものに着目し、その意義や面白さを非常に明確な形で描き出し、それによって、今までの哲学史の流れそのものを変えてしまうくらいの才能を持っていたのです。また、カフカについて語るときに、〝マイナー文学〟という表現を使ったのですが、これは、カフカがチェコで活動するユダヤ人であるにもかかわらずドイツ語を使うことに起因したものです。

チェコだからチェコの言葉を使うわけでもなく、ユダヤ系だからユダヤの言葉を使うわけでもなく、ドイツ本国でもないのにドイツ語を使うカフカに対する言葉で、自分の国の言葉ではないドイツ語を使うこと、そして、自分の言葉を使いながら外国人のように語ることを表現したものです。少なくともドイツ本国の中でドイツ語を使うのとはまったく異なり、チェコという国の中でチェコの言葉を使うわけでもなく、あえて支配層が使っているドイツ語を使うことで、絶えず自分から距離をとり、絶えず外国人のように喋ることをマイナー性と表現し、マイナーこそがまさに革命的であると主張したのです。

そんなマイナーへの強いこだわりを見せるドゥルーズを有名にしたのは、一人の哲学者としての活動ではなく、1972年に書いた『アンチ・オイディプス』から始まる、ガタリとのユニットスタイルです。

ガタリは、精神分析学を研究していた政治的な活動家で、ドゥルーズ＝ガタリという形でたくさんの本を書きました。二人で書く共著なのですが、どこまでがドゥルーズで、どこからがガタリかがまったくわからない形になっており、分担ではなく、彼らの表現では、二人が一人、一人が二人として書いていたわけです。

フランスで彼らが最初に書いた『アンチ・オイディプス』は、フランスの五月革命※1の理論的な成果のように一般的には言われていますが、このタイトルは、フロイト※2のオイディプスコンプレックスに対して、アンチをとるという形になっており、要するに、フロイト主義※3に対する批判となっています。

そして、フロイト主義を批判するにあたり、彼らが基本的に打ち出したのは、すべての問題を父や母といった家族の問題にし、人間の様々な活動を家族に基づいて考える、いわゆる家族主義に対する批判であり、アンチ・オイディプスというのは、家族に基づいて物事を考えることへの批判なのです。

問題の原因は家族関係にあるということは、心理学ではよく使われるパターンですが、彼らはこれに対する批判が非常に強かったのです。その一番大きな根本は欲望の捉え方で、フロイト主義における欲望概念は、家族主義的に形成されるものであり、父親に対して反発し、母親に対して愛情を持つというオイディプスコンプレックスのように、一番根本にある人間の欲望を常に家族主義的な形で解釈、あるいは理解します。これが精神分析のひとつの大きな特徴であり、だからこそ家族主義の中にすべて欲望を押し込めてしまうのです。それに対して、ドゥルーズとガタリの基本的な発想は、欲望は家族主義的に限定されないということです。

家族の外に広がっていくのが欲望のあり方であり、その意味で彼らは、欲望は親がないという意味で〝孤児的なもの〟だと表現します。決して欲望は家族主義的な形で閉じられてしまうものではなく、社会的な広がりを持つものだと考え、家族にだけ限定されるような欲望はないという発想をとるのです。

その意味で、『アンチ・オイディプス』という本の一番基本となるのは〝欲望〟であり、欲望概念に基づいて自分たちの思想を形成していくときに、欲望は様々な形、方向性に錯乱するという言い方をします。

また、〝欲望機械〟という表現を用います。なぜ機械かと言うと、繋がりを持つのが機械の特徴だからであり、欲望は繋がりを持たなければ基本的に成立しないので、必ず繋がりを持つものの、その繋がりはいつでも切断できるというのがポイントになっています。だから〝結合と切断〟と表現するのですが、欲望は必ず繋がりを持ち、そして一定の方向ではなく、あらゆる方向に繋がっていく。時には突然切断して、別のものと繋がったりする。今ここで繋がったかと思えば、今度はまた別のものと繋がる……。

そういった意味で、欲望は結合と切断なのだけれど、必ずこのように繋がるということがあらかじめ決まっているわけではなく、多様な形で繋がるし、突然切断されたりもする。だから、これを整流化するというか、一定の方向に流すのが基本的な社会のあり方になっているので、この整流化し、一定の方向を目指すという流れを破壊しなければならない。つまり、欲望の多様化を全面的に認めようというのが、彼らの基本的な発想なのです。

そして、欲望というものは、そもそも最初から革命的であり、親もなければ子もなく、多様な方向に広がりを持つ。これこそが欲望の基本的なあり方であり、これに基づいて社会を形成しようというのが、『アンチ・オイディプス』の基本的な主張となっているのです。

『アンチ・オイディプス』が世界中で受け入れられた背景

この本がフランスで爆発的に流行ったのは、フランスの五月革命の後、社会そのものが少し保守化し始めたときだったので、フランスの精神や息遣いをもう一度復活させようというイメージで受け止められたからではないかと思います。

そして、フランスだけでなく、世界中で受け入れられたのは、欲望を基本に置き、欲望は一定の方向には向かわないという考え方が、例えば性に関しても、男性と女性という結びつきは決まったものではなく、多様な結び方があっても構わないという、多様な性のあり方を肯定するものであり、さらに、家族構成にしても、一夫一婦制で、永久に家族を構成するという方向とは相反するものだったからです。

別に男性と女性の家族でなくても良いし、家族が永続化する必要もない。常に同時進行で、多様な関係を結んだって構わないという、新しい人間関係のあり方を、ある意味、非常に積極的に示唆したものでした。それがひとつの大きな方向性となり、フーコーの言い方を使えば、アンチ・オイディプス的な生き方を示したことが、多くの人々、特に若い人々に受け入れられる結果になったのではないかと思います。

実際に読んでみればわかりますが、いわゆる普通の論文形式で書かれたものではなく、最初から多様な欲望の結びつきを積極的に肯定するという形で書かれています。そして、この本に出てくる概念が、日本でも流行語になった〝スキゾとパラノ〟です。

五月革命はおそらく、欲望の解放という形で動いた若者たちを、社会的な形で潰していったというイメージがあり、あらためてどこに失敗があったのかを理論的に再構成しようという意図がこの本にはあります。ただ、五月革命そのものが一体何を目指したのか、それを原理的に捉え直そうということであり、五月革命を分析しているわけではありません。その意味では、五月革命のときに息づいていた人々の原理原則のようなものをあらためて理論化しようという試みと言えるかもしれません。

解明できないスキゾとパラノ

そのときに彼らが打ち出した〝スキゾとパラノ〟という概念ですが、スキゾというのはスキゾフレニー、つまり分裂症のことです。もともと欲望はスキゾフレニーという形での分裂症的なものであり、これを積極的に認めようとしたのです。分裂症はふつう病気として語られるので、非常にネガティブに理解されるのですが、彼らが語るスキゾフレニーは、病気としての分裂症ではなく、おそらく理想的なモデルとしての欲望のあり方であり、整流化されていない欲望のあり方としてスキゾフレニーという言葉を使ったのだと思います。

だからこそ、本当の分裂症、スキゾフレニーはそんなものじゃないという批判を受けることもあるのですが、彼らはあくまでも理想の形としてスキゾフレニーを語ったわけで、その言わんとしていることは、欲望の方向性を決めたり、流れを止めたり、すべてを一定の方向に向かわせるようなことはせず、多様な形で結びつき、多様な形で変化していくことを全面的に認めようということです。
その意味では、おそらく1960年代から1970年代にかけての社会的な変化、人々の欲望的な動きを、積極的な形で理論化しようとしたことが、流行に繋がった理由ではないかと思います。

そういったスキゾフレニー的な欲望に対して、社会そのものはそれを抑圧し、そして一定の方向に整流化しようとします。そして、整流化されて、一定の方向に、ひとつの目的を作って流れていく。これが〝パラノ〟、つまりパラノイア（偏執狂）であり、これに起源を与えるのが、フロイトの語る家族物語のような発想だというのです。

だから、スキゾフレニーが革命的な欲望の流れであるのに対し、パラノイアは、抑圧された形で家族という物語の中に閉じ込められ、ひとつの方向だけを与えられたものだと考えるのです。単純に言うと、革命的な欲望と抑圧的な社会という発想で、革命的な欲望を目指すのがスキゾフレニーであり、抑圧的な社会に向かうのがパラノイアです。その意味では、『アンチ・オイディプス』という本は、きわめてわかりやすい図式になっていて、この二項対立の中でスキゾフレニーを非常に積極的に評価し、パラノイア的な社会的抑圧を批判します。そして、人々がパラノイア的な抑圧に乗ってしまったのが、五月革命が失敗したひとつの理由であり、だからこそ、もう一度、人間そのものの基本的なあり方であるスキゾフレニーを解放しようとしたのです。

ここで問題となるのは、スキゾとパラノを対立させたところで、結局スキゾが実現することがない点です。必ずパラノイアという形で、社会的なものに流れがひとつの方向づけを与えられてしまいます。そうすると、一体それはなぜなのか？　というのが問いとして残るわけです。五月革命がなぜ敗北したのか？　スキゾフレニー的な欲望があったにもかかわらず、なぜ人々はパラノイアに走ってしまったのか？　これがずっと彼らの議論の中で継続されていくわけです。彼らの表現を使えば、なぜ人々は結局自分たちの利益に反するようなものを欲望するようになるのか？

ドイツの精神分析学者であるヴィルヘルム・ライヒは、フロイト派なのですが、『ファシズムの大衆心理』という本の中で、大衆は騙されてファシズムに走ったのではなく、大衆自身が望んで、欲望してファシズムを作ったのだと主張しました。これも同じことで、なぜ人は、自分たちの利益に反する、あるいは欲望に反するようなものを欲望するようになるのか？　これを解明しなければならないといって、『アンチ・オイディプス』でも何度もこの議論が出てくるのですが、結局これに対する答えは出てきませんでした。

現代社会はポスト監視社会、ポスト規律社会

その後、ドゥルーズとガタリは、続編となる『千のプラトー』という本を出したのですが、この本でも同じような形の議論が続きます。そして、最終的にドゥ

ルーズは、１９９０年代に入ってから、つまりは亡くなる直前に「管理社会論」を出したのですが、これは彼が、先程の問いで言えば、なぜ人々は革命的な欲望を求めていながら社会的なものに従うようになるのか？　ということを解明しなければならないと考えていた末に、彼の最終的な解決として導き出したものになっています。

彼はフーコーと非常に親しかったのですが、フーコーは「規律社会論」において、近代社会は監視社会であり、人から監視されていることを想定した上で、自分自身の行動を基本的に規律化していくことが特徴であると考えました。つまり、集団の中で監視されることで、自分たちの行為そのものを規律化していくというのがフーコーの『監獄の誕生』という本におけるひとつのモデルになっていたのですが、ドゥルーズの「管理社会論」は、フーコー的な規律社会は終わったというのが大きな特徴となっています。

ドゥルーズがフーコーに対して語ったのは、フーコーは近代社会を監視の社会であると言ったが、その監視社会つまり規律社会は、私たちの社会ではすでに終わっている、その意味で現代社会はポスト監視社会、ポスト規律社会に突入しているのだということです。

フーコーがモデルとした社会は、基本的にはアナログの世界です。目で見て、監視して、そしてそれを帳面につける。学校ならば、教師が子どもたちを目で見て監視して、それを帳面につけて、規律を植え付けていくわけです。だから、近代社会においては、集団を作って、その中でちゃんと規律を守るように人々を訓練していくというのがフーコーの発想だったのですが、ドゥルーズは、現代社会において、人々を一定の場所に集めて、一定の行動をするように規律化するのはもはや不可能であると考えました。

それは、消費社会をイメージするとわかりやすいかもしれません。例えば、デパートに入ってきたお客さんに、まっすぐ歩いてくださいとか、こちら側に動いてくださいなんて言えないので、ある程度は自由に動いてもらうしかありません。

それにもかかわらず、彼らの行動を規制するためには、監視カメラなどのデジタルテクノロジーですべてを管理するしかないというわけです。

この管理社会はコントロール社会と呼ばれ、人々にあれこれと命令するのではなく、最初から彼らの行動を逐一すべてデジタルテクノロジーでチェックして、彼らが許されていない行為のみをできないようにするという方法をとるのです。どこかの部屋に入ろうとしても、カードキーなどで入室の資格がない人はあらかじめ入れないようにしておけばよいのであって、そうすることによって、何も強制することなく管理ができるというわけです。

つまり、デジタルテクノロジーによって、人々がどういう形で動かざるをえないかをあらかじめ制約してしまうことを、ドゥルーズは管理社会と呼んだのです。できることとできないことをあらかじめチェックしてしまえば、わざわざ規律を与える必要はなくなります。逆に言えば、現代社会においては、もはや人々を集団的に教育したり、規律を与えたりすることは不可能になってしまっているということなのです。

社会や時代の進化を先取りするのも哲学者の大きな役割

そのほか、彼の考え方で非常に現代的なもののひとつに「ノマド」という概念があります。これは『千のプラトー』の中で明確になっている概念なのですが、ノマドというのは遊牧民のことで、絶えず移動して、定住しない生き方を意味しています。そして、その対立概念として、どこかに自分の居場所を決めて、そこに基礎を作り、権力を作り上げるという定住民型が用意されます。

スキゾとパラノの関係で言えば、スキゾが遊牧民型、つまりノマドであり、パラノが定住民型になります。どこかの会社に入って自分の地位を築き、どんどん力を増やして権力を振るうようになる。このパラノイア型に対して、スキゾ型は、自分の居場所を限定せず、絶えず移動していくわけです。

このスキゾ型が〝ノマドワーカー〟という形で流行語になったのは、特にドゥルーズを意識したものではないと思いますが、もともとはドゥルーズの発想にあった言葉なのです。

哲学者は、現状を分析するだけでなく、社会や時代がどのように進むのかを先取りするのも大きな役割になっています。その意味で言えば、第4章で触れたキットラーも、デジタルテクノロジーの問題点を認めながら、歴史的な重要性を見極めて、将来の方向性を想定しました。

残念ながらすでに亡くなってしまっているのですが、もう少し長生きしていたら、AIなどとの関連付けももっと詳しく分析していたかもしれません。その意味では、ドゥルーズも、新型コロナによって変わっていく社会のあり方を、一つのイメージとして予見していたのではないかと思っています。

フーコーの規律社会も、元々はペストと対応付けたものでした。それと同じように、ドゥルーズの管理社会は、彼の時代には存在していませんでしたが、現代の新型コロナに対応するような形の社会、直接対面せずに人々の行動をコントロールすることが可能になり、それによって初めて社会が動くということをイメージしていたのかもしれません。ノマドワーカーにしても、デジタルテクノロジーが発達し、それに対応した働き方が可能になることが前提の考え方ですから。

※1　5月革命
1968年5月にフランスのパリで行われたゼネラル・ストライキを主体とした学生主導の労働者・大衆の一斉蜂起と、それに伴う政府の政策転換のこと。

※2　フロイト
ジークムント・フロイト（1856〜1939年）。オーストリアの精神科医。精神分析の創始者で、「無意識」を発見したことで知られる。

※3　フロイト主義
フロイトに始まる精神分析の理論や実践、思想。「無意識」「抑圧と抵抗」「オイディプスコンプレックス」などが中心となる。

第7章

ダニエル・デネット

1942年生まれ。アメリカの哲学者。自身の哲学を自然主義と表現した。

デネットは、分析哲学、科学哲学の教育を受けたバリバリの哲学者で、おそらく現代アメリカの現役の哲学者の中では、かなり影響力を持っています。ローティが生きていた時代には、ローティと対比されるような立場だったのですが、デネットは自分自身の哲学を自然主義と表現しています。

自然科学に説明できないものはないという立場

この自然主義は現代の哲学においては非常に有力な考え方ですが、自然主義には多義的な意味があり、例えば文学における自然主義は、何となくリアリズムのようなイメージで理解されます。しかし、哲学における自然主義は、厳密な定義があるわけではありませんが、一般的には自然科学的な方法に基づいて、哲学の問題を解決、あるいは考察する立場のことを言います。

その意味で、心の問題を考える場合は、当然、脳のあり方や生理学的な神経組織の系統、あるいは目の構造、つまり外界からどのような刺激を受けて、それがどういう流れで脳まで伝わるかみたいな考え方をします。

これまで意志の働きなどは、自然科学的、あるいは生理学的な話とはまったく異なる問題として考えていたのですが、自然主義は、人の行動のスタイルは自然科学的に説明できるという立場に立つのです。こういう考え方が可能になり始めたのは、二つの理由があると思います。

一つは遺伝子理論の進化で、生物の行動を遺伝子の働きで理解できるようになったことです。これまで、例えばダーウィンの進化論を説明するとき、個体の問題と集団全体の問題をうまく説明することができなかったのですが、遺伝子のレベルで説明すると、うまく説明できるみたいなことがあります。

これは、ドーキンスという生物遺伝科学者の〝利己的な遺伝子論〟が非常に大きな影響を与えています。実は哲学というのは進化論と非常に密接に関わって形成された部分があり、それがプラグマティズムなのですが、現代の哲学の場合は、利己的な遺伝子や動物行動学的なものも含めた遺伝子理論を使って、さらに進化論的に説明する傾向にあります。

そしてもう一つが神経科学。日本では脳科学と言われたりしますが、この脳科学によって、人間の行動や知識、あるいは感情などの心の働きを説明することが可能になり、心の働きは脳の働きだと一般的に言われるような話が、より厳密な形で説明されるようになったのです。

さらに認知科学というものが、1950年代以降、アメリカで非常に大きく発展し、それによって、生物学、心理学、あるいはロボット工学やAIのような情報科学を抜きにして、人間の心の働きや行動を説明することができなくなり始めたのです。少なくとも、それらのものとどう関係するか、あるいはどこまでは説明できてどこから説明できないか、そのあたりまでは誰でも言及するわけです。最終的には、一番極端なレベル、遺伝子的な構造やDNAの配列などで説明してしまおうとする還元主義に対して、心の働きや行動はそういったものでは説明できないとしてブラックボックス化したがる動きもあります。

人間の心や行動は、決して生物学的に、あるいは自然科学的に説明できるものではないという考え方で、例えばマルクス・ガブリエルはこの立場に立ちます。それに対して、自然科学的に説明できないものは存在しない、少なくともそれに基づかない限り人間の心や人間の行動は理解できない、という立場が自然主義です。ここで注意しなければならないのは、解明し尽くすことができるという意味ではなく、あくまでもそれに基づいて解明するのが原則ということです。

自然科学的に説明することを無視して哲学理論を形成することは不可能であるというのが、デネットの基本的な立場です。だから彼は、自分の立場を自然主義と位置付けるのですが、哲学者は自然科学についてほとんど知らないと言われることも珍しくありません。

だからデネットは、生物学も遺伝子工学もＡＩに関する情報工学も、専門家から十分な形で知識を得て、彼らと対話しながら、自分の哲学を形成していくのです。彼の本は、ＤＮＡに基づく進化論をはじめ、情報工学やＡＩに関するものもあり、フレーム問題の定式化についての思考実験で一番有名なものはおそらくデネットが作ったものだったりします。そして彼は、認知科学、あるいは自然科学の方法に基づいて哲学を説明することが重要であると考えている一方で、これまでの哲学者は、あまりにも自然科学について知らなすぎたし、だからこそ、それを無視して、自分たちの独自の理論を作り上げていると思い込んでいたが、それは不可能であり、もう止めようと主張します。そしてこれが彼の立場であり、現代の文化的な方向とも合致した考え方なのです。

ネーゲルのコウモリ問題

それゆえに、マルクス・ガブリエルはデネットを強く批判します。今の哲学は、自然主義的な方向と、反自然主義的な方向という二つの大きな流れがあり、一般的には、デネットの説明のほうが納得されやすい傾向にあります。心の説明も認知科学的に説明できるし、それを進化論的に説明することもできます。

それを無視して精神や行動を説明すると、必然的に神秘化してしまうというのがデネットの考え方であり、彼はある意味、非常に現代的であり、現代の科学の水準に則った形での議論を試みます。例えば宗教についても、単純に無神論を唱えるのではなく、人々が神のようなものを信じ、それによって説明したりするのはなぜかということを自然科学的に説明するのです。

こうした議論において、必ず問題になるのがクオリア問題です。クオリアは、もともと〝質〟という意味です。

例えば私たちが赤い物を見て鮮やかな赤さを感じたとき、それを自然科学的に説明すると、光の波長がこれくらいだとか、どういう形で目に刺激が与えられて、どういう形で赤い物を感じているのかを、すべて自然科学的に説明することができます。

しかし、自然科学的に説明できるのはそこまでであるという考え方があって、光線の具合がこうで、光の波長がどうで、それが感覚神経を通って、脳に刺激を与えて、電流が流れて……という説明はもちろん可能であり、それによって脳で赤として感じるというのは理解できるものの、それはあくまでも自然科学的に説明された赤さの説明であって、私たちが実際に見ているこの鮮やかな赤は、それとは別物であるというわけです。

そうやって感じられた、鮮やかな赤さをクオリアと呼ぶわけですが、そうなると、自然科学的にいくら説明したところで、クオリアを説明することはできないのです。

ネーゲルという哲学者の『コウモリであるとはどのようなことか』という論文が、クオリア問題の由来になっているのですが、ネーゲルによると、コウモリは私たちとはまったく違った感覚器を持っており、目がないにもかかわらず、何らかの音を発して、その反射に基づいて距離や形状を把握し、ぶつからずに移動することができます。

このコウモリの行動、どのように周りを認識し、どのように状況を判断しているかは自然科学的に説明できるのですが、それにもかかわらず、それがコウモリにとってどのように感じられているかは別問題であるというわけです。どんなに私たちが自然科学的に説明したとしても、コウモリが実際にどのように感じているかを自然科学的に解明することはできないし、それはまた別の問題であるという考え方です。

これがいわゆるネーゲルのコウモリ問題で、人がどのように感じるかは自然科学的に説明できたとしても、その人がどのように感じているかという問題については、自然科学で説明しても解明はできないし、それとこれとは別問題であるというのがクオリア問題なのです。

Aさんが見ている赤とBさんが見ている赤が同じかどうかという問題についても、自然科学的に波長などで説明することはできますが、はたしてそれぞれがどのように感じているかは、見ている当人にしかわかりません。ネーゲルがコウモリを例に出したのは、人間とコウモリの感覚器官がまったく違うので、自然科学的にいくら説明しても、なかなか受け入れにくいというところがあったからなのですが、これはコウモリだけの問題ではありません。同じ人間同士が、同じ物を見ても、どのようにこの赤さを感じているかは、少なくとも自然科学的には説明できますが、それにもかかわらず、それぞれの人が感じている〝感覚質〟、つまりクオリアは理解できません。

そして、これこそが哲学の問題なのだと、ネーゲルらは考えます。それに対してデネットは、少なくとも自然科学的に、どのようにそれぞれの人が感じているかを説明できたら、それがまさにクオリアと考えるべきであり、それにプラスアルファしてクオリアがあるわけではないと考えます。

哲学の問題は、自然科学的な説明によって基本的に解明できないというのは、結局このプラスアルファにこだわるからです。それに対して、プラスアルファではなく、それ全体、つまり自然科学で説明するということがまさにクオリアであり、それとは別のクオリアを考えると、心にしても行動にしても神秘化してしまうから止めようというのがデネットの基本的な発想なのです。

デネットの説明は、クオリアなど存在しないと言っているようですが、それについては問題にしていないのです。あるとかないとかではなく、そういう風にクオリアとして感じているものは、まさに私たちが自然科学的に説明するものであると言っているだけなのですが、これがみんなに誤解されるところでもあるのです。

自然主義の二つの立場

自然主義者には二つの立場があります。一つが消去主義者という、心のあり方など内面的なものは存在しない、あるいはそれはすべて自然科学的に説明できるという立場で、伝統的にこういう立場になると、人間の自由もすべて否定されます。つまり、人間が自由だと思っていることは、すべて自然科学的に、あるいは環境によって、生物学的な状況によって、遺伝子によって説明できてしまうからです。これを因果論と呼び、因果論的に説明してしまうと、自由な行為だと思っているものはすべて幻想であり、最終的にそれについて語る人のことを否定してしまうという風に、今までの自然主義者は考えられていました。

それに対してデネットは、別に自由なことは否定しません。自由な行為と思われているものをどういう風に説明するかが問題であると考えます。だから、誤解されてしまうのであり、しかもそれが意図的な部分でもあるのです。

マルクス・ガブリエルが自然主義を批判するときに、デネットの名前を出して、結局自由が存在しなくなるといって批判します。しかしデネットは、自由が存在しないなんてことを一生懸命に言うつもりはなく、逆に自由という風に言われているものは、一体どういう形で自然科学的に説明できるかということを考えているのであって、自由そのものを否定はしないのです。

結局、自然主義にも2種類あって、すべてを否定してしまう消去主義に対して、私たちが自由だと思っているものや私たちがクオリアだと思っているものは、自然科学的にはこのように説明可能であり、それによってクオリアが理解できるというデネットのような立場もあります。

なかなか技巧的ではあるものの、この違いがわからないと、自然主義は心を否定するとか、すべてを自然科学で説明したら終わりだと言いたくなるのですが、それが自然主義のすべてではありません。

デネットの立場は揺るがない

例えば、向こうから人が来たとき、ぶつかりそうだから相手を避けるといった行動のように、誰かから教わらなくても子どもの頃から身につけている、常識的な心の働きをフォークサイコロジーと呼びます。素朴心理学や民間心理学と訳される言葉です。これはアカデミックなサイコロジーではなく、私たちが行動するときに人間理解としてあらかじめ身につけているものであり、言葉そのものは、デネットが自分で作り出したと言っています。同じく自然主義者であるチャーチランド※1は、フォークサイコロジーのような形で私たちが理解している心の働きはすべて消し去って良いと主張します。

例えば、熱いものに触れたときに熱いと感じるのは、どれだけの熱が手に伝わり、そこから感覚器官を通って、最終的にそれが熱いという形で表現されるからです。その際に、脳の神経細胞がどれだけの電流を流しているとか、すべて物理的な形で説明してしまえば、私たちが今まで心の働きだと思っていたものがすべて説明できるわけです。だから、心についての自然科学に基づかないような言葉遣い、うれしいとか悲しいといったものも含めて、感情表現的な語彙はすべて消し去ってしまうことができるし、消し去ってしまうべきだと考えます。つまり、自然科学、脳科学、認知科学の働きによって、我々はそういった語彙を必要としなくなるというのが、チャーチランドの考え方です。

それに対して、うれしいとか悲しいといった感情、あるいは行為を消し去るために自然科学を使って説明するのではなく、あくまでも、私たちが日常的に心の働きだと思っていることが自然科学的にどうやって説明できるかを考えるというのが、デネットの立場であり、その意味では二正面作戦と言えるかもしれません。一方をすべて消し去るのではなく、私たちが自然科学的な説明ではないような説明をしていることがらも、自然科学的にはどうやって説明できるかを考えるということだからです。

同じ自然主義でも、消去主義と、消去主義ではないデネットのような立場、この二つがあまり区別されずに理解されてしまったため、自然主義が批判されるときは、消去主義者がイメージされる場合が多いです。しかし、消去主義を批判したところで、デネットの立場はまったく揺るぎません。

その意味で、彼のやり方は非常にクレバーであり、賢いと言えば賢いですし、ずるいと言えばずるいのです。

例えば犯罪について考えると、自然主義的には、人が犯罪を犯す際の脳の状態はこうであるとか、脳にこういった損傷があるみたいな話になり、殺人を犯すのは脳に障害があるからであると言われたりするのですが、よくよく考えれば、犯罪を犯すときは、やはり普通とは脳の状態は違っているはずです。しかし、現在の法体系は、人がある意味では自由な行為として犯罪を犯すことが前提となって成立しているわけです。

つまり、あなたは自由だから、犯した罪もあなたの責任ですということで、責任を取らせているわけですが、自然主義的な立場に立つと、私が悪いのではなく、私の脳が悪いのだから、責任は脳にあるということになってしまうのです。

わかりにくいデネットの立場

実際、脳神経学と結びつくような法学の世界だとそのように考えられてしまうのですが、そうなると、はたしてその人を裁くことができるのかという問題が生じるのです。なぜなら、犯罪を犯したくて犯したわけではなく、脳が犯罪を犯さざるを得ない状況だった、みたいな説明が自然主義的には可能だからです。

脳の状態と切り離して考えるとすれば、当然のように責任を負わせることはできますが、自然主義の考え方は、脳の状態、脳の様々なシステムに基づいて、どのような行動が生み出されるかを説明するのですから、犯罪を犯すこともその人がどうこうできる問題ではなく、脳のシステムということですべて説明できてしまうわけで、そうなるとやはり責任問題についての議論が残ってしまうのです。

脳の状態が犯罪を犯さざるを得ないのであれば、その人を罰しても意味がないのではないかという議論も当然ありますし、自然科学的に説明すれば人の責任が消えるというのは、あくまでも消去主義の前提に立った考え方です。しかし、デネットは少なくともそうは考えず、自然主義であったとしても、責任問題が消えることはないという立場を取ります。賢いと言えば賢いのですが、考え方としてはすごく一般的なものです。その意味では、せっかくの自然主義で、もっと革命的で、強い主張が出せそうなのに、最後は一般的な主張に落ち着いてしまう。デネットへの批判には、消去主義のように、もっと自然主義の主張を前面に出してもよいのではないかというものがあります。

脳科学や生物学、あるいは認知科学によって説明すれば、自由の問題も含めて、まったく違った、まったく新しい理解が出てくる可能性があるにもかかわらず、そんなドツボにハマるようなことはしないのです。彼はあくまでも、自然科学の考え方を受け入れますが、人が常識として持っているものも否定しないという立場を崩しません。

デネットの立場がわかりにくいのは、自然主義的に考えていけば人の自由や精神、心のあり方は消えてしまいそうなのですが、デネットは消さないからです。それこそが彼の哲学の難しさであり、宗教についても同じです。

ドーキンスやデネットのような無神論者と呼ばれる、無神論的な傾向の人たちが、宗教批判を行った際、ドーキンスは、神は存在しないという形での批判を行い、だから宗教がいかに非合理的な判断なのか、ということを主張しました。ある意味、ドーキンスの批判は、無神論的な宗教批判としては非常に過激なものだったのですが、デネットの場合は、同じように宗教についての自然科学的な説明を繰り広げたものの、最終的に神が存在するかしないかについては、イエスともノーとも言わなかったのです。

神を信じるような態度が一体どこから出てきたのかを自然科学的に説明するだけの、あくまでも第三者の姿勢で、神を信じられるのか信じられないのか、神なんてものは幻想にすぎないのか、結局はインチキなのか、そういうことについては一切触れませんでした。これは彼のやり方の典型例であり、自由についても、あくまでも自由に行動していると私たちが思って行動することが自然科学的にどう説明できるかというのにとどまり、だから、自由なんて存在しないとか、神なんて存在しないといった形で結論付けたりはしません。実際、神が存在するかしないのかなんて決定することができないのだから、いくら争ったところで意味がないというのがデネットの基本的な立場なのです。

柔軟さが持ち味であり定義を変えていくことで対応するやり方

彼は自然主義者であり、今の自然科学的な知識や考え方に基づいて、哲学や様々な問題を説明していくわけですが、ここで誤解してはいけないのは、自然科学に基づけば、意識が否定されたり、自由がなくなったり、宗教が存在しなくなったりするわけではないということです。

基本的にそれらを否定するのが自然主義ではなく、むしろ、人間が行うそれらの行動を自然科学的に説明するのが自然主義なのです。その意味で、自然主義についての誤解をいかに正していくかが、デネットの哲学の大きなポイントになっています。

自然主義の立場に立てば、自由が語れないとか、自由なんてなくなるというのが一般的なイメージですが、それはあくまでも消去主義の考え方であり、いわば、厳密な形で主張する、昔ながらの自然主義者です。デネットとは明らかに異なる考え方なのですが、一般的に誤解されていて、なかなか理解されない部分でもあるのです。

デネットは心のあり方について説明する際、人間や動物はもちろんのこと、アメーバやウイルス、ロボット、AI、サーモスタットにまで心があると考えます。彼は、周りの物や環境に対して、いかに有効な形で対応できるかが心の基本的な働きだと考えます。だから、サーモスタットだって、外界の気温に反応して外観を変更する、つまり有効な対応を取るという意味で、心があると考えます。

こうして、心を人間だけに限定することはせず、それによって進化論的に理解する。これは非常に大きな問題で、ＡＩに心があるかと聞かれたとき、人間と同じような意味合いの心をイメージするなら、当然あるわけがないという解答になります。だって、シリコンチップに電流が流れて、ただ二進法の計算をしているだけみたいな話になるわけですから。

外界に対して、いかに有効な形でそれに対応しているかという点で考えると、心を持った動物としての人間が、有効な形で外界に働きかけるのと同じように、ＡＩもロボットも、そしてアメーバも行動し、そしてそれが上手く機能しなくなると、死を迎えるわけです。こうして、心というものの考え方を大きく変えていくことは、おそらく現代において、ＡＩやロボットに心があるかという問題を考える際に、非常に有効な概念の変革になるかもしれません。

昔ながらの心の理解であれば、最初から説明するのもナンセンスなのです。ロボットに心があるかどうかは、心をどのように考えるかによって変わります。つまり、定義の問題であり、その定義を変えていくことによって、いかに理論的に様々な心を繫げていくことができるかを考えることができるのです。

心はひとつではなく、様々なタイプの心がある。その意味で彼の発想は非常に柔軟なのです。結局、この柔軟さがデネットの持ち味であり、自然主義だと自由はなくなると言われると、それは自然主義の理解の仕方が違うんだと答え、心なんてそもそも存在しないと言われると、それは心をどのように定義するかの問題であると答える。こうして、すべて定義を変えていくことによって、対応するのが彼のやり方となっているのです。

※1 チャーチランド
ポール・チャーチランド（1942年〜）。カナダ出身の哲学者で、自然主義者。素朴心理学を強く批判し、消去的唯物論を提唱したことで知られる。

第8章

クァンタン・メイヤスー

1967年生まれ。フランスの哲学者。「思弁的唯物論」を提唱。

クァンタン・メイヤスーは、父親に有名な人類学者を持つフランスの哲学者で、フーコーやドゥルーズ、デリダといった錚々たる哲学者たちの後を継ぐようなイメージで見られていました。メイヤスー自身がどのように考えていたかはわかりませんが、現代哲学における主流の一人と目されていた部分があります。

世界的な注目を集めた思弁的実在論

メイヤスーは高等師範学校の出身ですが、高等師範学校というのは、毎年数十人しか合格せず、フーコーやデリダ、昔だったらサルトルなども出身で、レヴィ・ストロースやドゥルーズが試験に落ちるくらいのエリート中のエリート学校です。日本語で〝高等師範学校〟というと、教師を育成する学校のように聞こえますが、どちらかというと研究者を育成する、大学の大学みたいな位置付けの学校です。

フランスの場合は大学ではなく、哲学者なら高等師範学校、政治家ならばエナと呼ばれる国立行政学院（現在は廃校）、技術系であればエコール・ポリテクニークといった、グランゼコールと呼ばれるもうひとつの専門研究機関に通うのがエリートの条件のようになっています。

メイヤスーが高等師範学校に在学していたときの教師がアラン・バディウという人物だったのですが、バディウは、フーコーやドゥルーズらとほぼ同時代の哲学者で、彼らが亡くなったとき、次に来るのはデリダであり、バディウであると思われていました。

それくらい著名であり、当時はすでに大御所となっていたバディウは、メディアにもよく登場し、舌鋒も鋭く、大統領になったサルコジをコテンパンに批判することでも有名でした。そんなバディウの秘蔵っ子のような形で登場したのがメイヤスーで、実際、バディウはメイヤスーの本の序文を書いており、デリダ以降の若手では最も将来が嘱望された哲学者だったのです。

そんなメイヤスーが、一般的にも広く知られるようになったのは、2007年に開かれた〝思弁的実在論〟というワークショップが契機となっています。この〝思弁的実在論〟というワークショップは、イギリスのニック・ランドの弟子たちがコアメンバーになって立ち上げたものです。

おそらく、非常に軽いノリで、自分たちの名前を売るため、少し社会にセンセーションを引き起こそうというくらいのイメージだったと思います。なお、この〝思弁的実在論〟に対抗する形で登場したのが、同じ実在論を唱えるドイツのマルクス・ガブリエルで、マルクス・ガブリエルは、この〝思弁的実在論〟に対して、同じ年代の若手として、かなりの対抗意識を持っていたようです。

このワークショップは、最初のメンバーだったブラシエが、フランスを旅行中にたまたまメイヤスーの本を目にして、彼を仲間に入れようと画策したのが事の始まりでした。バディウが序文を書くくらいの人物だから、メイヤスーをトップに据えてワークショップを開けば、格も上がるし、人も呼べると考えたのだと思います。その意味では、客寄せパンダ的な意味もあったかもしれません。なお、当時メイヤスーが唱えていたのは〝思弁的唯物論〟であり、ワークショップの名前も当初は〝思弁的唯物論〟になるはずだったのです。

しかし、なぜか途中から〝思弁的実在論〟という名前に変わってしまいました。おそらく仲間の中に〝唯物論※1〟にアレルギーを持つ人がいたのかもしれません。いずれにせよ、実際に開かれたのは〝思弁的実在論〟というワークショップであり、翌々年に2回目が開催されたとき、メイヤスーが参加することはありませんでした。このあたりの経緯はかなり不透明なのですが、少なくとも、この〝思弁的実在論〟は世界的な注目を集めました。それは、このワークショップが、今までとはまったく違う、新しい哲学のムーブメントだったからです。

〝思弁的実在論〟と言うと、何らかのスクールか学派のように聞こえます。学派だったら偉い先生の周りに弟子が集まって、同じような考えに基づいて研究活動を行いますが、〝思弁的実在論〟のメンバーは、このタイトルを掲げて研究活動をしていたわけではないのです。

この集まりはただのセッションのようなもので、メンバー4人が集まってワークショップを開くにあたり、タイトルを〝思弁的実在論〟としたに過ぎません。タイトルそのものよりも、このワークショップの前後に、インターネットを通じてたくさんの論文が発表されたことが全世界的に影響を与えたのであり、その意味で、この〝思弁的実在論〟はインターネットを通して哲学の流行が形作られた最初の運動だと言われています。メンバーがニック・ランドの系統ということもあって、小説や演劇、ダンスミュージックなど、哲学に限定されることなく、様々な分野の人たちがインターネットを通して配信することによって世界的な広がりを見せたのです。

これほどまでに流行した理由としては、おそらく哲学の行き詰まりがあったと思われます。20世紀が終わり、構造主義もポスト構造主義も勢いを失い、デリダも亡くなった。20世紀の有名な哲学者はみんな姿を消してしまい、その後を引き継ぐ哲学者をみんなが探している中、彼らの新しい動きが非常に新鮮で目新しかったことから一気に注目を集めたのではないかと思います。

メイヤスーの立場は思弁的唯物論

最初の頃、〝思弁的実在論〟の中心メンバーはメイヤスーだと思われていました。彼自身が積極的に動いたわけではありませんが、その当時、メイヤスーの知名度が一番高く、彼の書いた『有限性の後で』が中心となる本だと思われていたので、〝思弁的実在論〟はメイヤスーであると理解されることが多かったのです。

しかし、メイヤスーの立場はあくまでも〝思弁的唯物論〟なのです。私自身が彼の本を読んだとき、あまりそこを意識していなかったので、それが〝思弁的実在論〟という形で広がったときも、あまり違和感は覚えませんでした。それゆえに、両者の違いは特に意識されることはありませんでした。あらためて考えると、逆になぜ〝思弁的唯物論〟なのか、つまりメイヤスーはなぜ〝唯物論〟という表現を使ったのか、その説明はほとんど行われていません。

マルクス・ガブリエルが唱える〝新実在論〟も含めて、21世紀は実在論が主流で、唯物論というと、マルクス主義の唯物論か、分析哲学の自然主義ぐらいでした。それゆえに、唯物論をイメージするのは難しいのですが、実際、メイヤスーは自分の立場を一度たりとも〝思弁的実在論〟と呼んだことはありません。あくまでも〝思弁的唯物論〟という立場を彼は重視しました。

その理由はおそらく、彼の師匠であるバディウが激烈なマルクス主義者で、その影響を受けている部分が大きいからだと思われます。さらに彼の父親がマルクス主義者だった影響もあるかもしれません。

彼自身はマルクス主義についてまったく言及していないのですが、おそらくそういった背景があるのではないかと思います。ちなみに、ジジェクがメイヤスーの本を取り上げたとき、レーニンの『唯物論と経験批判論』を今さら読んだような思いと書いているように、やはり唯物論であることは間違いないのです。

人間中心主義ではない思考のあり方を示すメイヤスー

〝思弁的実在論〟の宣言書のように取り扱われた『有限性の後で』におけるメイヤスーの基本的な主張は、相関主義を批判することでした。

相関主義というのは、人間との関係において世界を見る考え方で、カント以降の哲学はすべて相関主義だというのです。つまり、人間の意識に対して、どのように現れるかですべてが考えられてきたのに対して、それをすべて批判するのが彼の立場になります。

人間との関係性において世界がどうであるかを考えるのが相関主義の基本ですが、メイヤスーは相関主義を批判するために、まずは人間との関係性に立たないような世界を想定します。その場合、一番最初に考えられるのは、人間がまだ存在していない宇宙の時代、生物的にまだ人間が誕生していない、ずっと昔の何億年か前の世界です。

これを〝祖先以前的世界〟と呼ぶのですが、この世界には人間との相関性は当然ありません。そして、人間が誕生する以前の世界には、人間が存在しないので、〝心〟も存在しません。だから、その世界は唯物的な世界であり、だからこそ〝唯物論〟なのです。

なぜ彼が〝思弁的唯物論〟という言い方をするかというと、人間が誕生していない世界は、物しかないから唯物論なのです。そして、その唯物論的な世界を、数学的な科学に基づいて私たちは理解します。科学に基づいて、人間が存在しない、人間が誕生する以前の世界を規定し、考えるわけです。そうすることで、人間が人間との関係において存在する相関的な世界を、もう少し相対化できるのではないかという考え方です。

メイヤスーは、人間が誕生する以前の世界と人間が消滅した以後の世界、この二つの人間が存在しない世界を想定することによって、逆に人間との関係にのみ限定された世界を制限していこうと考えました。彼が思弁的というのは、数学に基づいているからです。つまり、人間が存在しない世界を理解できるのは数学に基づいてのみであるという発想なのです。

彼がこのように考えた理由は、カント以降の近代哲学が、あまりにも人間との関係においてのみ世界を理解してきたところにあります。言語主義はもちろん、文化相対主義にしても、必ずそこに生活する人間との関係において世界が理解されるからです。

これはおそらく、私たちが常に人間の理解の仕方と世界のあり方を一緒に考えているからであり、メイヤスーはこれを批判しようと試みるわけです。そして、世界が人間との関係なしに存在するということをどのように理解するかを考えます。これがなぜ、〝思弁的唯物論〟という形で考えるのかという問いの答えになるのですが、その一方で、意図は理解できても、なぜこのような話をするのかが理解されにくかったし、彼自身もあまり積極的には語りませんでした。

その背後にある一番大きな意図は何かを考えると、今までの近代世界は人間主義であり、人間との関係に基づいて、あるいは人間の理解の仕方に基づいて世界を理解しようとしていました。この人間主義的な考え方に対して歯止めをかける、あるいはまったく違う発想をする必要があり、実際にそれが可能であることを示したかったのではないかと思います。その意味で、脱人間主義というか、人間中心主義ではない思考のあり方を示すのが、彼の大きな目論見の一つだったと思われます。

そして、それによって彼は、21世紀になって、人間主義的な発想が終わりを迎え、人間の遺伝子操作とか、人間とは違う形でありながら人間以上の思考ができるかもしれない機械とか、そういった人間中心主義的なものとは違う新たな運動が起こりだしているのを、正当化するための大きな枠組みを設定しようとしたのではないかと思います。

人間主義的な世界とは違う世界の発想、それを原理的な形で考察するとどうなるか。これを〝思弁的唯物論〟という形で想定したのです。そして、人間が存在しない、人間が誕生する以前の世界を想定し、さらに人間が消滅した以後の世界を想定することで、今まで私たちが数百年間続けてきた人間主義的な世界観や人間主義的な思考方法がいかに狭いものであったかを認識し、人間主義的な世界観を相対化する形で制限することが一番の根本にあり、今まで人間主義的に理解してきたことへの非常に強い反発、そして数百年間続いてきた哲学の一つの動きに対して、まったく違った発想をすることで、どういった世界が開けるかを示したのだと思います。

人間主義か脱人間主義か

　メイヤスーはあまり本を書いていないので、彼がこの後、どのように進んでいくのかはあまり見えてこないのですが、21世紀になって、人間主義的な発想とは違うものが世界的に求められ、それにひとつの機縁を与えるものとして、彼の〝思弁的唯物論〟に注目が集まりました。

　それが具体的にどれだけの根拠を付けられるかは、今のところはまだ何ともいえない状況です。それゆえに、メイヤスーは今後どのように評価されるかはわかりませんが、少なくとも、新しい発想法を示したという点は大きく評価されるべきところだと思います。

　メイヤスーの本そのもの、内容そのものは、そんなにボリュームのあるものではありません。途中の議論や、それを論証するための議論は少し面倒くさい話になっていますが、それを抜きにしても、こんなに小さな本が、21世紀の初めに着目され、流行したことこそが非常に注目すべきポイントだと思います。

メイヤスーは脱人間主義ですが、同じ実在論でも、マルクス・ガブリエルは人間主義です。マルクス・ガブリエルは、『なぜ世界は存在しないのか』において、あくまでも〝意味〟という概念を重視します。そして、物事を理解するためには、どういう意味に基づくかという〝意味の場（意味領域）〟が前提になるというのが彼の考え方であり、この意味というものは、人間の理解との兼ね合いからしか出てこないものです。

その点で、人間主義か脱人間主義かというのは、21世紀の非常に大きな方向性のひとつであり、さらにデネットのような自然主義なのかどうかも大きな問題になってくると思います。

カッコいいから〝思弁的実在論〟にした？

実在論と唯物論はイコールではありません。ワークショップを開くとき、もともとメイヤスーを呼ぶことがメインだったので、とりあえず〝思弁的唯物論〟というタイトルにしてはみたものの、後になって〝思弁的実在論〟という名前に変更されたわけですが、この〝唯物論〟が嫌われたというのも、特におかしな話ではありません。

多くの人にとって、唯物論といえば、〝消去的唯物論〟のようなゴリゴリの自然科学主義か、マルクスの〝弁証法的唯物論〟くらいしかありません。その意味で、〝唯物論〟だと決めつけられるのはかなりリスキーであり、それゆえに実在論に変更したのではないかと思います。

しかし、実際のところ、〝実在論〟には、何となくわかっているようでわからない、ぼんやりとした部分があります。だからこそ、実在論の復権のような体裁をとるのは、非常にわかりやすい方法であり、20世紀を言語論的転回だとするならば、言語によって規定されないような実在のあり方を問題にすることによって、20世紀と21世紀の違いを対比することができるのです。

その意味で、実在論には20世紀に対するちょっとしたアドバンテージがあるのですが、唯物論となると、アドバンテージどころか、ネガティブな誤解を与えかねません。もともとメイヤスー以外のメンバーたちは、実在論と唯物論がどういう関係にあるかなんてまったく考えていませんでした。実際、ハーマンがしている実在論の説明についても、かなり怪しいものがたくさんあります。

それを見る限りでは、あくまでもカッコいいから〝思弁的実在論〟にした、それくらいのイメージでしかなかったかもしれません。

※1 唯物論
すべての根源を物質的な存在に求める考え方。一方、観念や心、精神的な存在を根源とする考え方を「唯心論」と呼ぶ。

第9章

スラヴォイ・ジジェク

1949年生まれ。スロベニアの哲学者。現代思想界のスーパースターと呼ばれる。

ジジェクは年代で言うと、ドゥルーズやデリダたちよりも少し後の世代で、メイヤスーやマルクス・ガブリエルといった若手たちよりは上の世代にあたり、ちょうど両者を繋ぐような世代と言えるかもしれません。

若手の哲学者たちの親玉的な雰囲気もあり、マルクス・ガブリエルと一緒に本を書いたりもしています。若手にとっては、ジジェクと一緒に仕事をすることは世界的なデビューのチャンスでもあり、そういったことも含めて、〝現代思想界のスーパースター〟として扱われることが多いです。

今の時代において最も活発に発言する哲学者

ジジェクがどうしてスーパースターなのかと言うと、どんな時事的な問題が世界的に起こっても、必ず何かしらの発言をしているというのがひとつの理由です。例えばウクライナの問題についても、ちょっと調べてみれば彼の発言が出てくるはずです。しかもツイッター（Twitter）でつぶやくような感じではなく、論評のような形で、けっこう長い議論をしたりするのです。新型コロナのパンデミックのときも、たくさん原稿を書いて発表していました。何か世界的な重大事件があれば、必ずと言っていいくらい、彼が何を思い、何を考えているかを知ることができるはずです。

その意味で、様々な事柄に対して常に問題意識を持ち、それを哲学的に理解しようと心がけているのに加え、彼自身の興味関心がとても幅広いことがわかります。哲学者の中には、自分の守備範囲でしか発言しない人もたくさんいますが、ジジェクは、どんなことが起こってもだいたい何かの発言をしていますので、今の時代において最も活発に発言する哲学者かもしれませんし、様々なことに首を突っ込み、様々な発言をするジジェクは、メディアにとってもインタビューがしやすい対象なのかもしれません。

彼はもともと映画が作りたかったらしく、哲学は自分にとって2番目の仕事みたいな発言をし、2番目の仕事をするのが一番良いみたいなジョークを飛ばしたりするのですが、とにかく映画についての興味や造詣が深く、自分の哲学を、ヒッチコックの映画を通して説明したりするのです。

マルクス・ガブリエルも自分の本の中で、映画やテレビの話題をよく出しますがそれを一番最初にやったのがジジェクであり、彼は難しい哲学の話を具体的に説明するために映画の構造やストーリーをよく使ったりします。

彼はラカン派の哲学に大きな影響を受けているのですが、そもそも難しい言葉を使うフランスの現代思想の中でも、特にわかりにくいと言われているラカンの思想を、ハリウッド映画を使って説明するという離れ業をやってのけて、人気を博しました。

彼の説明の特徴は、まったく別の思想や、まったく別の文脈で語られているものを利用するところにあります。特に難しい哲学の考え方を、ヒッチコックの映画を使って説明できるのも彼の才能であり、それによって読者を何かわかったような気にさせてくれるのです。

これができるのは、彼が非常に物知りで、幅広い映画の知識を持っているからであるのと同時に、哲学に関する造詣も非常に深いからと言えるでしょう。さらに、彼の語り口は非常に軽妙で、饒舌で、少し下ネタを混ぜながら、難しい話をわかりやすく解説します。それができる哲学者は彼以外いないでしょうし、それが上手くできるのがジジェクなのです。

目指しているのはポストモダン時代の共産主義

ジジェクは基本的に、コミュニスト、つまり共産主義者です。共産主義と一言で言っても、昔ながらのスターリン主義的な共産主義もあれば、人間主義的なヨーロッパのマルクス主義もありますが、そもそも20世紀の後半に、マルクス主義の権威がほとんど消えてしまっています。

資本主義社会の中で、すでに社会主義すらも壊れてしまっている現状において、マルクス主義なんて、誰も目指さないような思想になってしまっているのです。しかし、こんなに価値が多元化しているこの時代においてなお、彼は共産主義を打ち立てるにはどうすればよいかを考え続けているのです。彼が目指しているのは、ポストモダン時代の共産主義であり、それをいかに提示するかが、彼にとっての最大の目標になっているのです。

だからこそ彼は、新型コロナのパンデミックがあったときにも、こういう時代こそまさに共産主義が必要なんだ、みたいな話をするわけです。2008年のリーマン・ショックにおいても、当然のごとく、今こそ共産主義、コミュニズムが必要であるみたいな主張を行いました。とにかく彼は、常にコミュニズムが必要だと主張します。例えばコロナ禍の時代なら、グローバルな形でのコミュニズムが必要という形で議論を展開します。

コロナ禍の時代、貧困層は富裕層のような感染予防をするのは不可能だし、生活環境そのものが非常に厳しくなっています。だからこそ、社会そのものを変えなければパンデミックを克服できないし、そのためには情報のグローバルな形での開示や協力が必要になります。それを彼はコミュニズムと呼び、だからこそコミュニズムが必要であると主張するのです。しかし、常にコミュニズムを主張するわりには、実現するための具体的な方策はほとんど語りません。何か危機的な状況が起こると、常にコミュニズムを主張するのですが、それをどうやって実現するかという道行きを示すことができないので、いつも掛け声だけで終わってしまうのです。

コミュニズムを実現するのは、彼の最終的な目的であり、議論を行うのも、最終的にコミュニズムを実現するためです。現代が抱える様々な問題点、環境問題にしても、貧困問題にしても、それらが解決されるのはコミュニズムにおいてのみといった主張を展開するのですが、では実際にどうするのかというと、具体的なものは何も出てきません。

彼は、現代社会の状況において社会が抱える様々な問題点をほとんどすべて把握した上で、それらを最終的に解決する手段はコミュニズムであると主張するわけです。ウクライナの問題にしても、プーチンのような独裁的ではない形のコミュニズムという主張を行うわけですが、それが上手くいかないのはいつも通りなのです。

何が言いたいのかが見えてこない

2008年の金融恐慌の際、『ポストモダンの共産主義』という本を出しました。原題は『はじめは悲劇として、二度めは笑劇として』というマルクスの言葉をそのまま使ったもので、邦題はジジェクの考え方を取り入れた非常に上手い訳になっています。金融恐慌こそが、左翼にとっては社会主義を実現するために一番都合が良い状況なのですが、それにもかかわらず、ジジェクはこの本の中で、コミュニズムを実現するための具体案を示すことができませんでした。その意味で、２００８年の金融恐慌において一番都合が悪かったのは左翼であり、解決策を示せなかったことは左翼の敗北であると、ジジェクも素直に認めているのです。

実際のところ、サッチャーやレーガンの時代以降、オルタナティブはありえるのかという問題があります。資本主義に代わることができるオルタナティブ、つまり代替案はあるのかと問われたとき、そんなものはないと多くの人が思っているわけです。ジジェク自身はコミュニズムこそが代替案だと思っていて、何か危機的な状況や問題が起こると必ずコミュニズムを主張しますが、繰り返し述べたように具体的な案として提示できていないのです。

彼は現代社会の情報ネットワークをよく知っていますし、資本主義の進行によって様々な問題点が生じ、格差が非常に大きくなっていることも承知しています。それでも彼の解決策はコミュニズムの導入しかなく、どうやって具体的に実現していくかを示すことができないというパターンを延々と繰り返しているのです。

彼は、具体的な問題が起こったときに、それを鮮やかに分析することに長けており、さらに、いろいろな思想家や哲学者の見解を組み合わせながら、読む人がはっとするような分析を見せてくれるのですが、結局はそれまでという印象です。

とにかく分析は上手く、いろいろな理論を組み合わせて、斬新な視点を提示してくれるのですが、そこから解決策を示すことができないというのがジジェクの特徴なのかもしれません。

〝思弁的実在論〟のワークショップが開かれた数年後、思弁的実在論は内部分裂したということをジジェクはいち早く本に書いたのですが、その際、内部分裂のことを、グレマスの記号論の四角形のように四辺に分裂したと表現しました。これこそが、他所から言葉を持ってきて、わかりやすく表現することの例で、これによって読む人は非常にイメージしやすくなりますし、このような表現をさせると、まさに天下一なのです。

結局のところ、ジジェクの最大の問題は、非常にたくさんのことを喋ってはいるのですが、何が言いたいのかが見えてこないところです。最終的な意図、共産主義という目標だけはわかるのですが、例えば、本の主題であったり、中心的なテーゼのようなものがあまりはっきりとしません。

結局、たくさん語りはするのですが、一つの目標に向かって進んでいくというスタイルではなく、場面ごとに語り口を変えていくのが彼のスタイルであり、非常にわかりやすいのだけれど、最後の目的が見えてこないというのがいつものパターンなのです。

第10章

吉本隆明

1924年東京生まれ。2012年没。詩人、文芸批評家、思想家。「戦後思想界の巨人」と呼ばれる。

最後は一人、日本人からも取り上げようということで、様々な候補の中から、社会的に大きな影響を与えた話題の人物として、吉本隆明を取り上げようと思います。

戦後日本の知の巨人だとか、戦後最大の思想家なんて呼ばれたりもする人物で、外国からフーコーをはじめとする哲学者や思想家が日本にやってくると、だいたい吉本隆明が担ぎ出され、対談するというケースが非常に多く見られました。年齢的に言えば、ドゥルーズと1歳くらいの違いで、デリダなどもほとんど同年代かと思います。彼は、1960～1970年代の安保闘争や全共闘、学生運動の時代に、非常に大きな影響を与えた思想家、哲学者として知られる人物です。

保守派でありマルクス主義者であり進歩派でもあった吉本隆明

彼の生涯をあらためて振り返ると、戦前は、皇国青年とでもいうべき軍国主義の青年で、戦前の日本の価値観に、ほぼ疑いなく従うような人物でした。そして、日本が戦争に負けたことで、今まで信じてきた価値感や思想がガラガラと崩れ堕ちることを経験したのです。そして、周りの知識人たちが一瞬にして、戦後の民主主義思想に染まっていくのを目の当たりにして、大きな反発を覚えました。

軍国主義バンザイと叫んでいた人たちが、何ら反省も清算もすることなく、まったく正反対の話をしている。それがおそらく彼の原体験になったのではないかと思います。そして、知識人と呼ばれる人たちへの不信感が、進歩的な知識人への批判という形で続いていくことになるのです。

進歩的な知識人と、彼が擁護すべき大衆という対比の中で、一時期は戦前的な価値観を引きずりながら、戦後の民主主義的な知識人を批判するという印象が強く、現代的な位置付けで見ると、リベラルを批判するいわゆるネトウヨ的なイメージに近い部分がありました。

その意味で、彼の批判は、今の人たちが聞いても、少なからず共感を呼ぶ部分があるかもしれません。彼の批判には一貫して、知識人に対する根本的な疑念があり、それが彼自身の原動力になっていた部分もあったのです。

吉本は、進歩的な知識人や民主主義的な思想を唱える知識人に対して批判的だったほか、マルクス主義や共産主義に基づく社会変革を唱える人たちに対しても批判的でした。さらに、1960年代や1970年代の安保闘争では、旧来型とでもいうべき、古い形の知識人や古い形の左翼の人々を非常に強く非難し、そんな彼の言動に当時の学生たちは強く共感したのです。

学生たちは、自分の目の前にいる教師たちが、非常に進歩的な話や理論を唱えていたはずなのに、いざ学生運動などの社会的変動が起こると、むしろ学生を抑圧する側に回るのを見て、教師、そして知識人の言動に信用が置けなくなっていました。

そんな学生たちの疑惑や疑念に対して、吉本の知識人批判がうまく刺さったのです。その意味で、旧来の知識人や進歩的に見える知識人に対する非常に強い不満を代弁することによって、吉本は学生たちに祭り上げられ、カリスマ的な影響を与えるようになったのです。

彼が学生に受け入れられたのは、自らがマルクス主義者であり、マルクスの思想を体現しているからだと思っていました。学生運動の基本はマルクスの思想であり、共産主義なのですが、その当時は、ソ連を中心にした公式的なマルクス主義に対する批判というものがあり、それが学生運動のひとつの動き、反スターリニズムとなっていたのです。そして、その反スターリニズムによるソ連型マルクス主義の批判という点では、吉本も基本的に一致していたのです。

吉本の面白いところは、超保守派でありながら、マルクス主義を勉強していて、その時代の新しい思想、フランスの哲学などへの造詣も深かったところです。つまり、保守派にもかかわらず、マルクス主義者であり進歩派でもあったのです。そして、1960年代、1970年代の安保闘争の基本は反米主義です。マルクス主義や共産主義というよりも、反米意識のほうが強かったかもしれません。もはや反米主義は消えてしまいましたが、当時は、反米によって、保守も進歩派も一致できたのです。さらに吉本は、マルクス主義であると同時に、日本の伝統的な思想や考え方にも強い思い入れがあったので、民主主義や進歩思想は偽善的なものとして、強く批判する対象だったのです。

知識人の思い上がりを批判

彼の思想において、重要なキーワードが「大衆の原像」です。進歩的な知識人に対して、大衆は保守的で無知蒙昧《もうまい》だから、知識人が教育することによって大衆が進歩的な考えを持つように啓蒙しなければならないという考え方は、日本に限らず、昔から考えられていた知識人と大衆との関係性です。だから、啓蒙主義にせよ、革命主義にせよ、知識人こそが大衆を導くことができるのであり、大衆はそれによって正しい考え方を身につけることができると考えられていました。

しかし、吉本はこの考え方を根本から批判します。彼に言わせれば、知識人はむしろ大衆そのものをよく知らないから、大衆を教育するどころか、大衆によって教育されなければならないのです。その意味では、大衆を神格化したという批判もされましたが、大衆は保守的で正確な認識や理解ができないという主張に対しても、そう考えているのは知識人だけであり、知識人こそがむしろ正しい理解を阻まれていると考えたのです。

だからこそ彼は、大衆よりも物事を明晰に理解していると思いこんでいる進歩派のリベラルな知識人を徹底的に批判するわけですが、おそらくこれは、現代のネット上でリベラルが批判されるときのイメージに近いかもしれません。すなわち、彼らは大衆を理解せず、いかにも自分たちだけがわかっているかのように考えて、空理空論を語っている……そんな発想に近かったのです。

結局、知識人批判というのは、裏を返せば大衆擁護になるのですが、1980年代に、吉本はブランドものの服を身に着けて、ファッション誌に登場したことがありました。その際、いわゆる知識人たちから、思想家が軽薄なことをしたり、流行に乗るのはおかしいと、非常に強く批判されたのです。

それこそが、１９８０年代以降の吉本に対する批判の大きな特徴になります。吉本にとって、流行というのは大衆のあり方だから、流行に左右されるなんてみたいな批判こそがおかしいのであるのと同時に、彼は消費社会というものを念頭においていて、社会そのものが以前のような生産社会から消費社会に変わったことを彼は体現して見せているのであり、それを批判すること自体をあざ笑うという部分もあったのです。そして、知識人というものは、自分自身が現実から遊離しているのにもかかわらず、一番社会をわかっていると誤解している存在とみなし、彼は強く批判するのです。

マルクス主義でも共産主義でも、革命的なインテリゲンチャが大衆を教育して、革命的な主体に育て上げていくことによって、革命を推進していきます。基本的に大衆を啓蒙していくという発想は、大衆が無知蒙昧であることが前提になっているのですが、それを突き崩したのが吉本で、彼に言わせれば、知識人こそが十分な形で理解ができていないのです。これは大衆論の中でもかなり大きな流れで、大衆はいつでも無知蒙昧であるという前提がどこかにあって、流行にしても群衆にしても、どちらかというと悪い方向でイメージされるのは、知識人の思い上がりであると吉本は考えたのです。

自身の言葉で、自身の経験に基づき、自身の分析で解明していく

『言語にとって美とはなにか』『共同幻想論』『心的現象論序説』という3作品が吉本の代表作とされていますが、これらの作品の特徴は、読んでみたけどわからなかったという反応が一番多いということです。3作品とも非常に売れましたし、たくさんの人に読まれたのですが、それらを称賛する人々に対して、どこが面白かったのかと聞いても、おそらく明確な答えは返ってこないと思います。

本当に最初から最後までちゃんと読んだのかも怪しいし、内容そのものを十分に理解した上で彼を擁護しているかどうかも非常に怪しい。そんな印象を持つかもしれません。実際、彼の本を理解するのが難しいのは事実で、しばしば行われる批判に、彼の文章はまともな日本語で書かれていないというものがあるくらいです。

ただ、内容そのものが難しいかどうかは別にして、重要なのはこれらの本が、彼自身が考える自前の思想であるということです。吉本はしばしば、今の研究者や学者がやっていることは、外国の文献を日本語に翻訳し紹介するだけの、いわば輸入業者に過ぎないと言って批判します。具体的な目の前にある自分たちの現実を、自分の分析によって解明し、自分たちの言葉で表現することを怠っていると考えていました。

それに対して吉本は、自分自身の言葉で、自分自身の経験に基づき、日本語で書かれた文献を中心に、自分の分析で解明していくというスタイルを貫きました。

つまり、外国からの借り物の視点、あるいはそれを翻訳するというスタイルではなく、自分自身における分析に基づいて、目の前の現実を明らかにしていくスタイルを取ったのです。

彼の『共同幻想論』は、基本的に国家論であり、国家とは何かを解明しようと試みます。国家について解明するときに、マルクス主義的な解明だとか、ヘーゲルに基づく解明といった国家論はこれまでにもあったのですが、国家に対するイメージが日本と外国では異なることに彼は着目します。

西洋においての国家は、社会の上にそびえ立つ幻想の共同体であり、私たちが実際に生活している社会よりも小さくて、しかも社会から分離した概念だとみなされていると考えます。そして、西洋ではどんなに国家主義的な傾向になったり、民族本位の主張がなされた場合でも、国家が国民の全体をすっぽり包んでいる袋のようなものだというイメージでは考えられないのです。それに対して日本では、国家は基本的に袋のようなもので、共同体と国家がそのままピタリと合致するようなイメージになります。つまり、日本と外国では国家に対するイメージが異なるので、外国の国家の分析では、日本の国家を分析することができないことになります。だから自分自身で分析してみようというのが吉本の基本的な発想なのです。そして、外国と日本では、国家に対するイメージがまったく異なっているので、日本語を使って、日本人にとっての国家のイメージを分析する必要があると考えました。

当然、日本語で分析することになると、取り扱う文献も日本語になるわけですが、それこそが『共同幻想論』を非常に難しくしているのです。国家論について書かれていることは一般的にも知られているのですが、実際に読んでみると、柳田國男の『遠野物語』と『古事記』の話が随所で使われていて、それ以外はほとんど出てきません。『遠野物語』と『古事記』の分析が延々と繰り広げられるだけなのです。読んでみてわかるのは序文だけ。すなわち、国家というのは共同の幻想であるみたいな話と、日本と外国では国家のイメージが違うという話だけなのです。

結局のところ、国家論というよりも、国家の成立を語る形になっていて、日本人にとっての国家が成立する一番最初の段階を語るのが『共同幻想論』のテーマだったので、通常の国家論として語られるものとはそもそもイメージが違ったという点がひとつ。さらに、『遠野物語』と『古事記』の話を例として出すのは、彼自身が分析している事柄と繋がっていると思っているからなのですが、客観的に見て、繋がっているとは思えない部分も非常に多く見られるのです。

キーワードだけが独り歩きして、逆風を受けることに

彼が『共同幻想論』を書くにあたり、なぜ『遠野物語』と『古事記』を取り扱ったのかを考えると、日本人にとっての国家が、外国における国家とイメージが異なるのであれば、当然、日本語で書かれた文献に基づいて書くことが重要に

なるわけです。ただし、そこで語られていることと分析していること、そして実際上の国家論が結びつくかどうかはまったく別の問題だったのです。

ただ、彼が使った「幻想」という言葉が非常に大きなキャッチフレーズになりました。〝共同幻想〟という言葉は、もともとマルクスが使ったもので、吉本もそれを意識して使ったのだと思いますが、〝幻想〟という言葉そのものは、吉本だけでなく岸田秀※1も使っていて、少し流行っていた言葉ではあります。

そして、〝共同幻想〟を国家という形で置き換えて、さらに国家の問題を個人と家族と国家の関係で考えました。彼は、個人に関わるものを〝自己幻想〟、家族に関わるものを男女関係や子どもも含めて〝対幻想〟、そして国家に関わるものを〝共同幻想〟と呼び、自己幻想と対幻想と共同幻想がどのような形で繋がっていくのかを解明しようとしたのです。

独自の言葉遣いを編み出し、それに基づいて、国家における個人と家族と国家の関係を論じるというスタンスで分析しようと試みたのですが、実際は、そういった分析ではなく、『遠野物語』と『古事記』を延々と分析する、いわば物語分析にとどまるのです。そのため、読んだ人の頭の中で、国家の問題と、その中で取り扱われている材料が上手く繋がらず、結局そのままで終わってしまったのです。

そんな『共同幻想論』が社会に響いた理由は、おそらくですが、言葉の持つイメージの問題で、国家というのは共同幻想、現実とは異なる幻想に過ぎないのだから、この幻想を解体すれば、国家そのものも解体できる、そういったイメージで、キーワードだけが独り歩きしてしまった結果ではないかと思います。少なくとも、1960~1970年代の大きな社会運動において、国家批判や社会批判があったわけです。その流れにおいて、国家は共同幻想だから、幻想を解体すれば、我々は解放されるんだというイメージのまま本を読み込んだのです。

実際、そんなことはどこにも書かれていないのですが、タイトルのキャッチーさによって、イメージの力が上回ったのではないかと思います。もしタイトルが、単純に『国家論』みたいな感じであれば、おそらく流行することはなかったでしょう。

国家は共同幻想であるという部分だけが独り歩きしたのは、吉本が共同幻想という言葉の意味や、国家が共同幻想であるとはどういうことかを明確な形で説明しなかったことも大きな理由で、もし明確な説明があれば、「なんだそんなことか」くらいで終わっていた可能性もあったかもしれません。

結局のところ、社会的ないわば誤解によって大流行したとも言えるわけですが、その意味で言うと、彼の思想が流行したのは70年安保の頃までで、それ以降の人々にはあまり受け入れられていません。そして、学生運動のなくなった１９８０年代になると、流行は一段落し、彼をカリスマ的に持ち上げていた人たちが、逆に批判するようなことも増えてきました。

そして、核兵器反対運動が起こり、彼の周りの文学者たちが世界的な形で核兵器の使用に反対する署名運動を展開したとき、彼はその動きに同調せず、逆にその運動に対する批判を行ったのです。これまで学生運動などで社会批判の側に回ってきた人が、同じような社会批判として展開される平和運動を批判したことが、あたかも反動思想のように扱われ、吉本は変わったと言われて強く批判されるようになりました。さらに、先程も少し触れましたが、ファッションにうつつを抜かすという、知識人にあるまじき行為だという批判。そういった批判が1980年代以降に噴出したのですが、逆に彼を擁護する人はほとんどいなかったのです。

自前の思想で分析しようとした姿勢は高く評価されるべき

実際のところ、吉本のこういった振る舞いは、彼の出発点である〝大衆の原像〟論からずっと一貫している部分なのです。核兵器反対運動についても同じで、彼は福島の事故の後も、原発反対はしていません。このあたりも彼の一貫した姿勢なのですが、科学に対して非常に強い信頼があるのです。科学的な進歩は不可逆的であり、その使用を控えたり、発展を抑制したりするような行動に対して、基本的に彼は賛成しません。科学的な問題は科学的にしか解決できないと考えていたのです。

結局、科学は不可逆的であり、一度進歩的な方向に動けば、その方向にしか動かないのだから、何か問題が起こったとしても、その枠内、あるいはさらに発展させることによってしか解決することができないというのが彼の立場なのです。これが正しいか間違っているかは別にして、福島の事故が起こったときも、彼の中では一貫した考え方でした。

様々な意味で晩節を汚したなどと評価されてしまう吉本ですが、輸入物ではない、自前の思想で分析しようとした姿勢は、やはり高く評価されることだと思います。外国の文献を紹介したり、上手くまとめるだけで成り立つという業界のあり方を否定し、自分の知識と自分の感性に基づいて分析を行うことで、自分の理論を打ち立てようとする姿勢は非常に重要でした。

結果としてできた理論である「共同幻想論」が上手くできたものだとは到底言えないのですが、国家と家族と個人を組み合わせることで国家を解明するという問題意識は、やはり評価に値する部分です。たられればではありますが、もし彼が1980年くらいに亡くなっていれば、神格化された存在として、今でも語られていたかもしれません。

※1 岸田秀
岸田秀（1933年〜）。日本の心理学者で1977年に刊行した評論・随筆集『ものぐさ精神分析』が大きな話題を呼んだ。

終章　今後の哲学

現代哲学の抱える今後の課題

現代の哲学が抱える問題や今後の課題について考えると、まず最初に思いつくのが「**自然主義と反自然主義**」の問題です。デネットのように自然科学に基づいて人間を理解・解明していく自然主義に対する、マルクス・ガブリエルのような反自然主義。今後の哲学では、自然主義か反自然主義か、いずれの立場を取るかが問題になってくると思います。

道徳の問題も同じです。自然主義的に道徳を考えることは当然可能ですし、生物的な進化の問題として道徳を位置付けるというのは、一つの方向性として存在しますから、あくまでも進化の問題として道徳を考えるのか、あるいは、生物的、自然主義的に理解することが不可能な、それとはまったく別の領域として道徳を想定するか。これもまた一つの大きな問題として残っていくだろうと思います。

ここで注意しておかなければならないのは、自然主義＝科学主義ということです。日本語の語感だと自然と科学は相反するイメージになりますが、自然主義というのはあくまでも〝自然科学主義〟であることを、あらためて認識しておく必要があります。

自然科学に基づいて人間を理解するのが自然主義であり、人間の心のあり方や行動のあり方、道徳のあり方といったものをすべて自然科学的に説明し、それに基づいて理解します。そうなると、責任の所在や法制度の問題も大きく変わっていく可能性があるのです。

なぜその行動をしたのかという問いがあったとき、それを自然科学的に説明すると、もはや責任を求めることができなくなる可能性があります。そうなると、反自然主義、反自然科学主義という立場は、道徳や責任、さらに人間の自由といったことを、ことさらに強調する方向性に進んでいくかもしれません。

また、**人間主義と脱人間主義**という対立もあります。これは人間のあり方を二つに分けたものです。人間主義というのは、人間を中心に物事を考えるということで、人間のあり方そのものを守り、人間を変えるとか、人間以上の能力を人間に与えるといったことを基本的に拒絶します。

その意味で、単に人間を重要視するというだけの人間主義と、人間のあり方の変化を拒否するという人間主義があると考えることもできます。それに対して、脱人間主義というのは、人間のあり方を変えていく考え方で、技術的な形で能力を加えていくこともできますし、自然科学的に変えてしまうという方向性もあります。

さらに考えを進めると、人間を社会の中で、一番重要な物とは見なさない形での脱人間主義も基本的に可能です。例えば人間が絶滅するとか、人口が減少するといった事案が起こっても、脱人間主義にとっては何の問題もありません。その意味でも、人間主義を取るか、脱人間主義を取るかは、自然科学の発展や、それに基づく行動様式などが大きな問題になってくるのです。

テクノロジーと哲学

現代の技術としてすでに大きな広がりを見せている**デジタルメディア**ですが、これが人間社会にどのような影響を及ぼすかを考えるのは喫緊の問題になっています。デジタルメディア、デジタルテクノロジーが普及すると、監視や管理が今まで以上に確実になってしまうわけですから、今後、メディアや技術に対して否定的な態度を取るということも考えられます。

デジタルデバイスの使用をやめようとか、SNSの使用をやめようというのは、今すでにあちらこちらで叫ばれていますし、マルクス・ガブリエルもその点について言及しています。そして、インターネットに依存することをやめるために反技術主義という立場を取ることも考えられるのです。

例えば原子力のような科学的な技術の場合、非常に大きな災害を引き起こす可能性があるから使うのはやめるべきであるという立場に対して、吉本隆明のように、技術は決して不可逆的にはありえないのだから、技術は技術のレベルの中でしか解決できないという立場もあります。この意味で、**技術主義か反技術主義か、メディア主義か反メディア主義か**、これらも今後の社会において大きな課題になることは間違いないですし、すでに課題になっていることを理解する必要があります。

哲学は資本主義や道徳をどう捉えるか

そして、資本主義をどう考えるかも大きな問題です。ジジェクは、マルクスの思想に基づき、資本主義の後の社会主義、共産主義を想定していますが、資本主義の後に今さら社会主義が来るのか、あるいは社会主義そのものをどう理解するかという大きな問題が残っています。

さらに、今の哲学者の議論では、ポスト資本主義というものはありえないという考え方、つまり今後も資本主義でしかありえないという可能性もあるわけです。その意味では、**資本主義の未来がどうなるのか**、あるいはどうするのかということは依然、大きな問題として残っていくと思います。

そして最後に、人間の行動や人間関係のあり方を考える際の**道徳性**をどのように考えるかも注目しておきたい問題です。マルクス・ガブリエルは道徳性が非常に重要になると主張しますが、実際のところ、道徳性がどこまで有効なのか、そしてそれを人間社会の中でどう位置付けるのかという議論が今後展開されていくかもしれません。これは反自然主義の考え方と結びつくことができますし、人間主義との結びつきについても解明していく必要があるかもしれません。

その意味でも、あらためて道徳性について考える意義はあると思いますが、現在のところ、これに言及しているのがマルクス・ガブリエルくらいなので、議論が進むかどうかはちょっとわからない状況でもあります。

いずれにせよ、こういった問題が現代哲学の抱える今後の方向性であり、これらを無視して未来の議論をすることは不可能です。そして、これらの問題に対して、どのようにアプローチし、どのような解答を与えていくのか。これが、今後の哲学者を評価する一つの新たな視点になるかもしれません。

おわりに

現代の哲学者10人をピックアップし、その基本的な考えをふつうの言葉でお話ししてきました。各1章という少ないページ数でそれぞれの哲学者を説明するのは、はじめから無理がありますが、「教養としてコレだけは」という項目にかぎってお話ししました。説明のため、やや簡略化したり、デフォルメしたりしましたが、論点にかかわる部分はしっかり論じています。

現代哲学と銘打った書物は、他にもいろいろ出ています。それなのに、どうして本書をあえて出版するのか、訝しく思われる向きもあるかもしれません。そのときには、ぜひとも内容を確認していただきたいと思います。

現代哲学といっても、どのような人物を取り扱うかで、内容はすっかり変わってきます。本書では、欧米の哲学者だけでなく、日本の哲学者も紹介させていただきました。ある一定の年代の方々には、「学生時代に読んだことがある」哲学者が入っているのではないでしょうか。かつてと今では時代も環境も変わっていますから、思想の受け止め方も異なっているかもしれません。

また、最近テレビや雑誌、ネット記事などでよく名前を見る哲学者も紹介されているかもしれません。メディアで目にするが、哲学者として何を主張しているのか、この機会にぜひとも確認していただけたら幸いです。

本書を読んでいただくとわかりますが、私はどの哲学者に対しても、常に第三者的な視点から（やや冷めた目で）見ることにしています。日本の研究者の場合、自分が研究している哲学者を愛好し（ファンとなり）、その哲学者になり代わって論じる人が少なくありません。いいかどうかは別にして、こうした態度は、私には無縁なものです。

私の場合、哲学者の主張について、「なぜそう考えるか？」といつも疑問を抱きながら、納得できる説明を求めていますが、その哲学者に肩入れする気はほとんど起きません。どの哲学者に対しても、「考え方はわかるけれど、……それで？」という感覚が抜けません。この感覚は、立場の違う哲学者たちを扱う場合は有効だ、とひそかに思っています。ただし、これに対する判断は、読者の方々にしていただくほかありません。

本書を読んで誰か一人の哲学者に興味をもたれたら、ぜひとも自分の眼を通して格闘してください。他人の説明はあくまでも他人の説明にすぎず、自分で納得しなければ、知識はすぐに消えてしまいます。本書は入門書ですが、「入門（イントロダクション）」は実物に導くための道案内です。そのためのブックガイドもつけましたので、参考にしていただけると幸いです。

最後になりますが、本書は同じシリーズの前二著と同じく、編集の過程で田島孝二さん、糸井一臣さんに大変お世話になりました。深くお礼いたします。

岡本　裕一朗

道案内のためのブックガイド

①マルクス・ガブリエル

マルクス・ガブリエルのヒット作となったのは、『なぜ世界は存在しないのか』です。また、この本の続編『「私」は脳ではない』も訳されていますが、この二つは、一般読者にはあまり面白いと感じられないかもしれません。一般向きに書かれたとはいえ、彼の主張から具体的にどんなことが出てくるのか、わかりにくいかもしれないからです。

そのときは、新書で出されている様々なインタビュー本を手に取るのがいいかもしれません。「あー、こんなことが言いたかったのか」と納得できるからです。その後で彼が書いたものを読んでみると、以前より面白さがわかるようになります。

『なぜ世界は存在しないのか』（講談社選書メチエ）
『「私」は脳ではない』（講談社選書メチエ）
○共著
『新実存主義』（岩波新書）
『神話・狂気・哄笑』（城之内出版）
○インタビュー本が多数出版されている

②ジャック・デリダ

デリダの本は多くが翻訳されていますから、どれを読むかに迷います。どれも彼流の書き方なので、はじめてデリダを読む人にはハードルが高いので、まず『ポジシオン』を読むといいでしょう。これは対談集なので、著作とは違って何が話題になっているかがわかるからです。

その後は、初期の『グラマトロジーについて』がおスススメですが、かなり長いので、忍耐が必要になります。それでなければ、『エクリチュールと差異』か、『散種』や『哲学の余白』に収録された論文を読んでみるのがいいでしょう。

『グラマトロジーについて』上・下（現代思潮新社）
『エクリチュールと差異』（法政大学出版局）
『散種』（法政大学出版局）
『哲学の余白』上・下（法政大学出版局）

○対談本
『ポジシオン』（青土社）

③ニック・ランド

ニック・ランドの出版された本は、ほとんどありません。『暗黒の啓蒙書』にしても、最初はインターネットのブログ記事です。また、初期の頃、大学で研究者として発表した論文は、後に論集として出版されましたが、その翻訳はありません。ですから、今のところ読むことができるのは、きわめて限られています。

最近訳された『絶望への渇望』は、大学講師時代に書いたもので、きわめてエキセントリックで、バタイユをテーマにしています。その意味で、あまり読みやすいとは言えません。したがって、ランドの著作としては『暗黒の啓蒙書』を読むしかありません。これが気に入れば、もう一つの著作を読むことをおススメします。

『暗黒の啓蒙書』（講談社）

『絶滅への渇望』（河出書房新社）

④フリードリヒ・キットラー

キットラーの文章が難解なのは有名ですが、翻訳されたいずれも同じです。そのため、最初は対談本を読んでから、次に彼の著作に進むのがいいでしょう。そのなかで、おススメなのは、『グラモフォン・フィルム・タイプライター』です。これは、扱っている題材が具体的で、しかも歴史的に論じられていますから、よくわからない文章があっても、気にしないで飛ばし読みをすると、後でイメージができます。彼が「メディア」として何を考えていたのか、よく理解できます。

『グラモフォン・フィルム・タイプライター』上・下（ちくま学芸文庫）

『書き取りシステム１８００・１９００』（インスクリプト）

『ドラキュラの遺言』（産業図書）

○対談本

『キットラー対話　ルフトブリュッケ広場』（三元社）

⑤リチャード・ローティ

ローティの著作は何を読むかによって、イメージが変わってきます。デビュー作となった『哲学と自然の鏡』を読むと、哲学史家としてのローティの姿が浮かびます。その後の『プラグマティズムの帰結』を読むと、現代哲学者としてのローティが理解できます。ローティらしい本は、『偶然性・アイロニー・連帯』です。彼のポストモダン的な側面がよくわかります。しかし、もう一方のローティの側面もあり、『アメリカ　未完のプロジェクト』では愛国主義の側面もわかります。

『哲学と自然の鏡』（産業図書）
『プラグマティズムの帰結』（ちくま学芸文庫）
『偶然性・アイロニー・連帯』（岩波書店）
『アメリカ　未完のプロジェクト』（晃洋書房）

⑥ジル・ドゥルーズ

ドゥルーズは優れた哲学史家で、いままでとはまったく異なる解釈によって、過去の哲学者を生き生きと描くことに長けています。彼の『ニーチェ』や『スピノザ』は、一般向けに書かれたもので、優しく読めると同時に、それぞれの思想がパッと広がります。また、晩年の『記号と事件』は、「管理社会」について論じていて、その先見の明に驚かされます。彼の発想を知りたいときは、ガタリとの共著である『アンチ・オイディプス』を読むのが一番です。読み始めると、おそらく哲学の概念が変わるかもしれません。衝撃的な本です。

○共著

『アンチ・オイディプス』上・下（河出文庫）

『千のプラトー』上・中・下（河出文庫）

『哲学とは何か』（河出文庫）

○単著

『スピノザ』（平凡社ライブラリー）

『ニーチェ』（ちくま学芸文庫）

『記号と事件』（河出文庫）

⑦ダニエル・デネット

科学に立脚しながら、哲学をどう進めていくかを考えるなら、デネットの本はおススメです。進化論から、認知科学、AIやロボット工学まで、科学的な知見に支えられて面白い思考実験が次々と提示されます。ただし、デネットの本はどれも大きなもので、読み通すのが大変です。

そのときは、『心はどこにあるのか』や『スウィート・ドリームズ』を読むと、デネットの自然主義の考えがわかります。彼の思考法を知りたいときは『思考の技法』、自由をどう考えるかというときは『自由は進化する』がおススメです。新無神論者としての考えは、『解明される宗教』で書かれています。クオリアに対する考えは『解明される意識』ですが、これを読み通すのは骨が折れます。

『心はどこにあるのか』（ちくま学芸文庫）

『スウィート・ドリームズ』（NTT出版）
『心の進化を解明する』（青土社）
『自由は進化する』（NTT出版）
『解明される宗教』（青土社）
『解明される意識』（青土社）
『思考の技法』（青土社）

⑧クァンタン・メイヤスー

メイヤスーの著作は必ずしも多くはなく、日本で翻訳されているのはデビュー作となった『有限性の後で』と、論集の『亡霊のジレンマ』になります。『有限性の後で』は小冊子であり、読むのにそれほど時間がかかりません。しかし、途中の議論と、何よりもテーマになっている問題の意義を理解するのが、とても大変です。そのため、ハーマンの『思弁的実在論入門』が手引きになるかもしれませんが、ハーマンとメイヤスーの考えが同じかどうか、議論が分かれます。ハーマンは「非唯物論」を唱えていますので、メイヤスーの「思弁的唯物論」に対する理解が十分ではありません。メイヤスーとハーマンの議論を読み比べることをおススメします。

『有限性の後で』（人文書院）
『亡霊のジレンマ』（青土社）

〇思弁的実在論については、
ハーマン『思弁的実在論入門』（人文書院）

⑨スラヴォイ・ジジェク

ジジェクは次から次に新しい本を出版し、しかもその多くが翻訳されているので、どれを読むか迷ってしまいます。そのときは、いちばん最近の本『あえて左翼と名乗ろう』を読むと、ジジェクのスタイルがわかるかもしれません。また、ジジェクの問題点を知るには、『ポストモダンの共産主義』がわかりやすいでしょう。リーマン・ショックのとき、資本主義を倒す絶好の機会が到来したのに、「左翼」が有効な戦略を打ち出せなかったのです。彼の議論を読むと、いつも左翼の共産主義が呼び出されますが、そのつど期待を裏切ってしまいます。ジジェクの芸風になっていますが、はたしてその論法は有効なのか、疑問が出てきます。その際は、彼の出世作となった『イデオロギーの崇高な対象』を読んでください。

『あえて左翼と名乗ろう』（青土社）
『ポストモダンの共産主義』（ちくま新書）
『イデオロギーの崇高な対象』（河出文庫）
『全体主義』（青土社）

⑩吉本隆明

吉本隆明の全集が出版されていますから、すべて読むことができますが、そのなかでも代表作となる三つの著作は、手に取ってみることをおススメします。それを読んで難しいと感じるときは、講演や対談などがよく読まれました。こちらの方は具体的で、しかも歯に衣着せぬ語り方で、読みながらすっきりした印象を与えてくれます。このギャップが、吉本の特徴かもしれません。また、後に批判を生み出した『「反核」異論』は、今日的な観点からどのように評価されるか、あらためて興味が湧きます。時代の変化に寄り添いながら、自分の感性と思想によって切り込んでいく思想家は、必ずしも多くはいません。

『言語にとって美とはなにか』（角川ソフィア文庫）
『共同幻想論』（角川ソフィア文庫）
『心的現象論序説』（角川ソフィア文庫）
『情況への発言』（徳間書店）
『「反核」異論』（深夜叢書社）

●著者プロフィール
岡本裕一朗（おかもと・ゆういちろう）
1954年、福岡県生まれ。玉川大学名誉教授。九州大学大学院文学研究科哲学・倫理学専攻修了。博士（文学）。九州大学助手、玉川大学文学部教授を経て、2019年より現職。西洋の近現代哲学を専門とするほか、哲学とテクノロジーの領域横断的な研究も行う。主な著書に、『哲学の名著50冊が1冊でざっと学べる』（KADOKAWA）、『世界を知るための哲学的思考実験』（朝日新聞出版）、『いま世界の哲学者が考えていること』（ダイヤモンド社）、『教養として学んでおきたい哲学』『教養として学んでおきたいニーチェ』（マイナビ出版）ほか多数。

マイナビ新書

教養として学んでおきたい現代哲学者10人

2022年11月30日　初版第1刷発行

著　者　岡本裕一朗
発行者　滝口直樹
発行所　株式会社マイナビ出版
〒101-0003　東京都千代田区一ツ橋2-6-3　一ツ橋ビル2F
TEL 0480-38-6872（注文専用ダイヤル）
TEL 03-3556-2731（販売部）
TEL 03-3556-2735（編集部）
E-Mail pc-books@mynavi.jp（質問用）
URL https://book.mynavi.jp/

編集　糸井一臣
装幀　小口翔平＋後藤司（tobufune）
章扉イラスト　sassa
DTP　富宗治
印刷・製本　中央精版印刷株式会社

　ISBN978-4-8399-8028-3
Printed in Japan